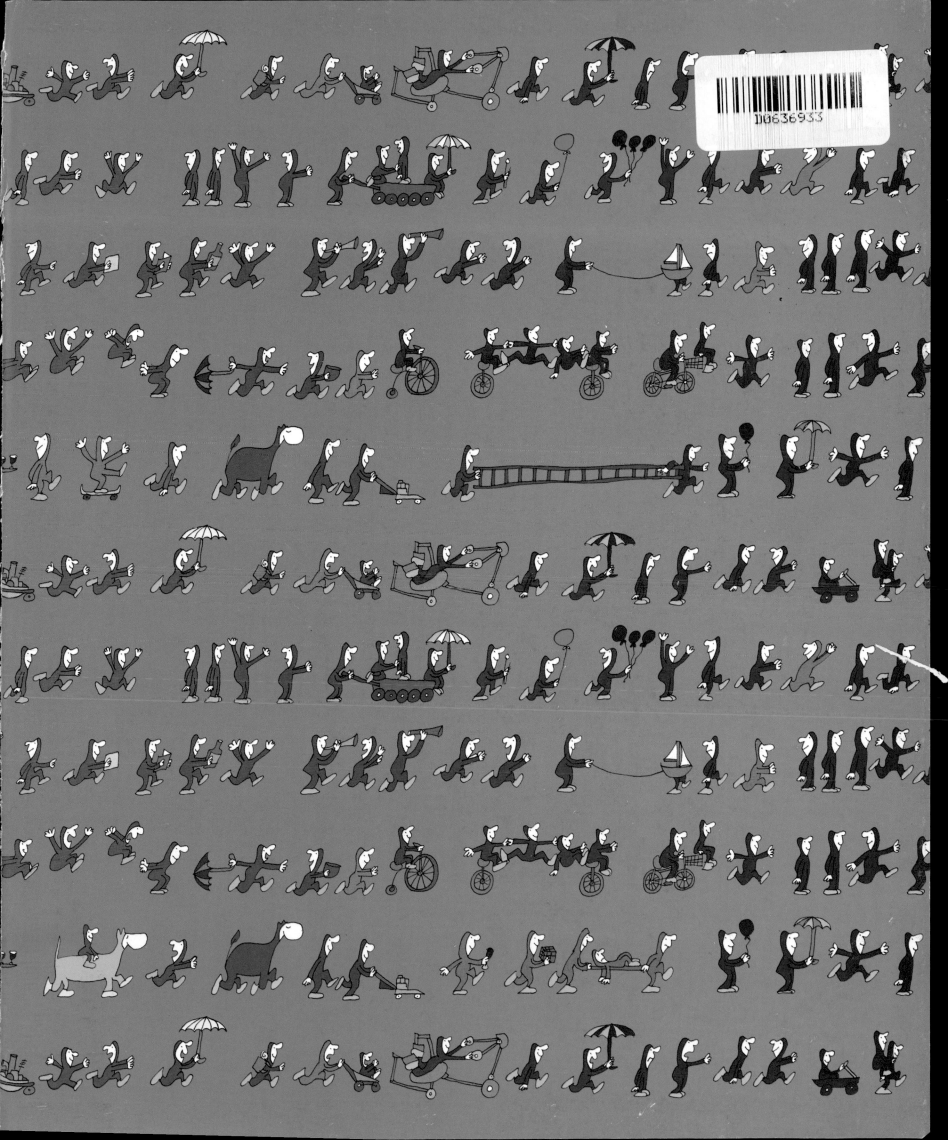

COMMENT TOUT A ÉTÉ INVENTÉ (OU PRESQUE)

Illustrations de Lisa Swerling et Ralph Lazar

Texte de Jilly MacLeod

HMH

SOMMAIRE

C'est vraiment un super bouquin

Extraordinaire !

Génial

Quand on le prend, on le lâche plus !

HMH

www.hurtubisehmh.com

Édition Niki Foreman
Maquettiste Jim Green
Direction éditoriale Linda Esposito
Direction artistique Diane Thistlethwaite
Consultant Roger Bridgman
Couverture Adam Powley
Index John Noble
Responsables éditoriaux Andrew Macintyre,
Caroline Buckingham, Laura Buller
Production Katherine Thornton
Conception PAO Siu Chan
Traduction Robert Giraud

Titre original de cet ouvrage
How nearly Everything was invented

Copyright © 2006 Dorling Kindersley Limited
A Penguin Company

Copyright © 2007 Flammarion
pour la traduction française

Copyright © 2007 Éditions Hurtubise HMH
pour l'Édition en langue française au Canada

ISBN : 978-2-89428-950-1
Dépôt légal 1er trimestre 2007
Bibliothèque et Archives nationales du Québec
Bibliothèque et Archives du Canada

Éditions Hurtubise HMH ltée
1815 avenue De Lorimier
Montréal (Québec) H2H 3W6

Photo gravure : Icon Reproduction, Grande-Bretagne
Imprimé en Chine

est une marque de commerce de Ralph Lazar et
de Lisa Swerling (Community Registered Design
Applications). Tous droits réservés.

Avec les Cervelots

Les Cervelots, quèsaco ? Ce sont des petits bonshommes qui trottent dans la cervelle des inventeurs. Ce sont eux que nous avons chargés de vous guider dans le labyrinthe des inventions. Vous n'aurez qu'à les suivre sur leurs sentiers, qui mènent d'une invention à l'autre. Ouvrez bien les rabats des six dépliants consacrés aux principales inventions : les lentilles, la machine à vapeur, l'ampoule électrique, le moteur à explosion, le transistor et la poudre à canon. Quant aux pages situées entre les dépliants, elles vous renseigneront sur les plus célèbres des inventeurs, sur les échecs les plus retentissants et les surprises que l'avenir nous réserve. Les Cervelots sont un peu coquins. Ils sèment les idées dans le cerveau, les unes géniales, d'autres moins. Écoutez bien les petites réflexions qu'ils font au long de ces pages.

Des encadrés vous expliquent le fonctionnement des machines et appareils, avec leurs différentes parties

Des portraits présentent les inventeurs

Les années d'avant J.-C. sont précédées du signe « - ». Quand on n'est pas sûr de l'année exacte, on met devant un « v. » qui signifie « vers »

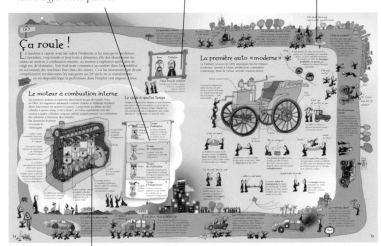

Des vues éclatées vous montrent l'intérieur des appareils

Les pages d'ouverture de chaque dépliant présentent une invention majeure et une de ses principales applications (par exemple, pour le moteur à explosion, c'est l'automobile). Les mots difficiles à comprendre sont expliqués dans le lexique.

Les poteaux qui guident les Cervelots

Les Cervelots vous entraînent d'une idée à l'autre

L'invention est replacée dans son contexte historique

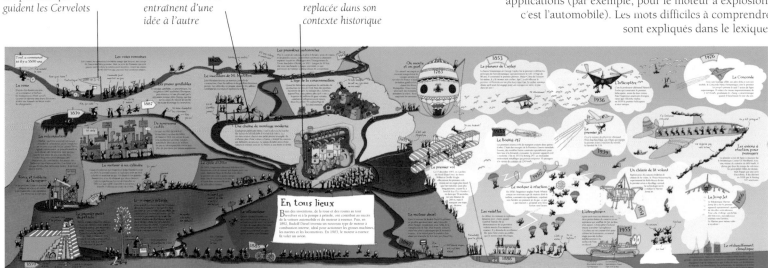

Ouvrons le dépliant

En ouvrant le dépliant nous verrons l'invention au centre d'un réseau formé des inventions qui l'ont précédée et de celles qui l'ont suivie.

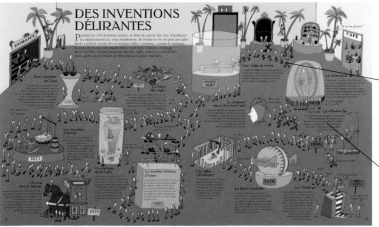

Laissez-vous guider par les Cervelots d'une invention à l'autre

Les légendes des dessins vous expliquent les inventions en détail

Caractéristiques particulières

Les doubles pages placées entre les dépliants complètent votre information. Elles vous parlent des inventeurs les plus célèbres, des idées folles qui n'ont jamais abouti et de celles qui prennent seulement naissance aujourd'hui.

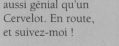

Je suis un Cervelot

Je vous prête ma brouette. Ainsi, en parcourant ce livre, vous pourrez la remplir d'inventions. À la fin, vous serez (presque) aussi génial qu'un Cervelot. En route, et suivez-moi !

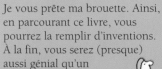
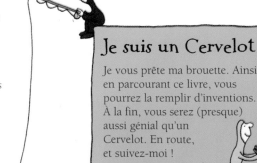

On peut faire mieux...

Ça fait un bon million d'années que les hommes usent leurs pieds à parcourir notre planète, et ils n'ont jamais cessé de penser qu'« il y a sûrement moyen de faire mieux ». Alors, ils réfléchissent, ils cherchent… Certaines inventions sont dues à un seul homme, d'autres à toute une équipe. Leur développement a pu durer très longtemps ou prendre seulement quelques jours. Ce qui est certain c'est que, sans les inventions, nous en serions encore à l'âge des cavernes !

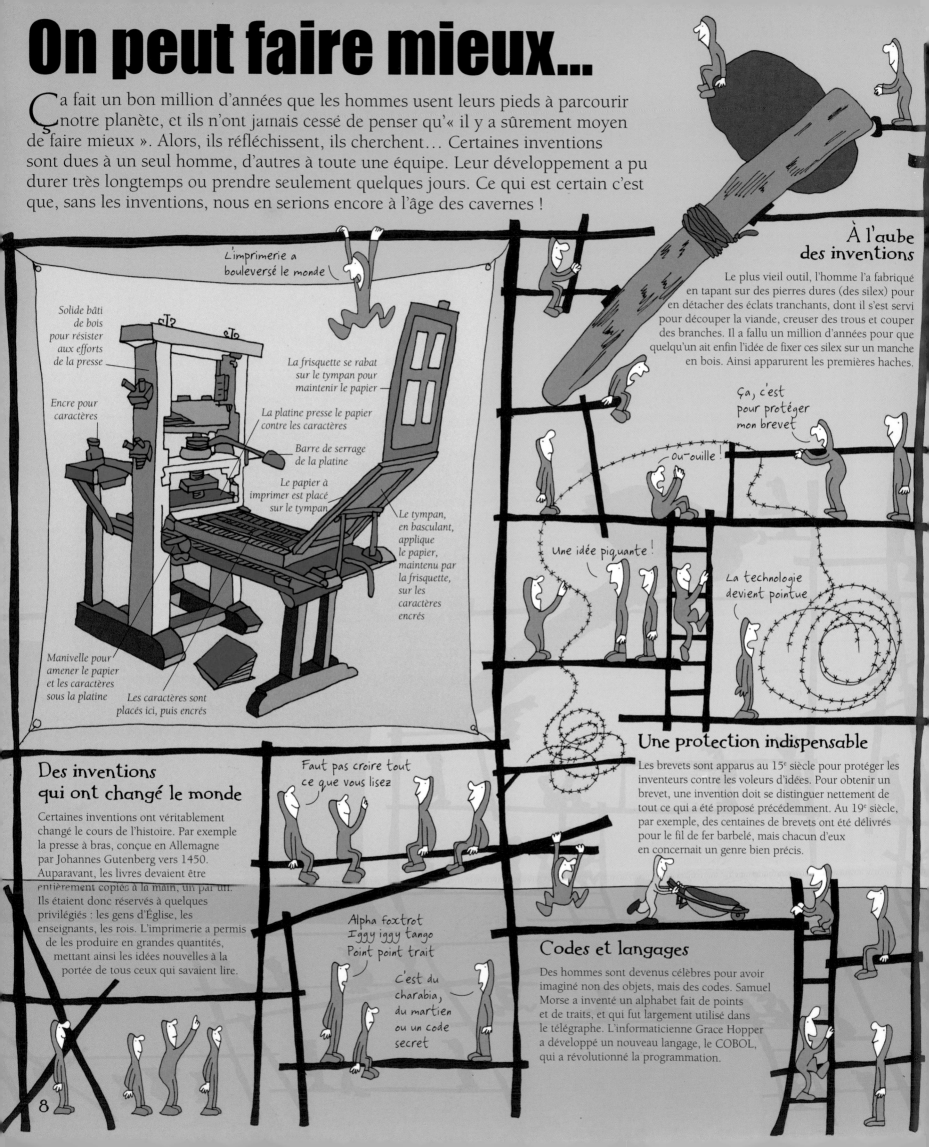

L'imprimerie a bouleversé le monde !

Solide bâti de bois pour résister aux efforts de la presse

Encre pour caractères

La frisquette se rabat sur le tympan pour maintenir le papier

La platine presse le papier contre les caractères

Barre de serrage de la platine

Le papier à imprimer est placé sur le tympan

Le tympan, en basculant, applique le papier, maintenu par la frisquette, sur les caractères encrés

Manivelle pour amener le papier et les caractères sous la platine

Les caractères sont placés ici, puis encrés

À l'aube des inventions

Le plus vieil outil, l'homme l'a fabriqué en tapant sur des pierres dures (des silex) pour en détacher des éclats tranchants, dont il s'est servi pour découper la viande, creuser des trous et couper des branches. Il a fallu un million d'années pour que quelqu'un ait enfin l'idée de fixer ces silex sur un manche en bois. Ainsi apparurent les premières haches.

Ça, c'est pour protéger mon brevet

Ou-ouille !

Une idée piquante !

La technologie devient pointue

Une protection indispensable

Les brevets sont apparus au 15ᵉ siècle pour protéger les inventeurs contre les voleurs d'idées. Pour obtenir un brevet, une invention doit se distinguer nettement de tout ce qui a été proposé précédemment. Au 19ᵉ siècle, par exemple, des centaines de brevets ont été délivrés pour le fil de fer barbelé, mais chacun d'eux en concernait un genre bien précis.

Des inventions qui ont changé le monde

Certaines inventions ont véritablement changé le cours de l'histoire. Par exemple la presse à bras, conçue en Allemagne par Johannes Gutenberg vers 1450. Auparavant, les livres devaient être entièrement copiés à la main, un par un. Ils étaient donc réservés à quelques privilégiés : les gens d'Église, les enseignants, les rois. L'imprimerie a permis de les produire en grandes quantités, mettant ainsi les idées nouvelles à la portée de tous ceux qui savaient lire.

Faut pas croire tout ce que vous lisez

Alpha foxtrot Iggy iggy tango Point point trait

C'est du charabia, du martien ou un code secret

Codes et langages

Des hommes sont devenus célèbres pour avoir imaginé non des objets, mais des codes. Samuel Morse a inventé un alphabet fait de points et de traits, et qui fut largement utilisé dans le télégraphe. L'informaticienne Grace Hopper a développé un nouveau langage, le COBOL, qui a révolutionné la programmation.

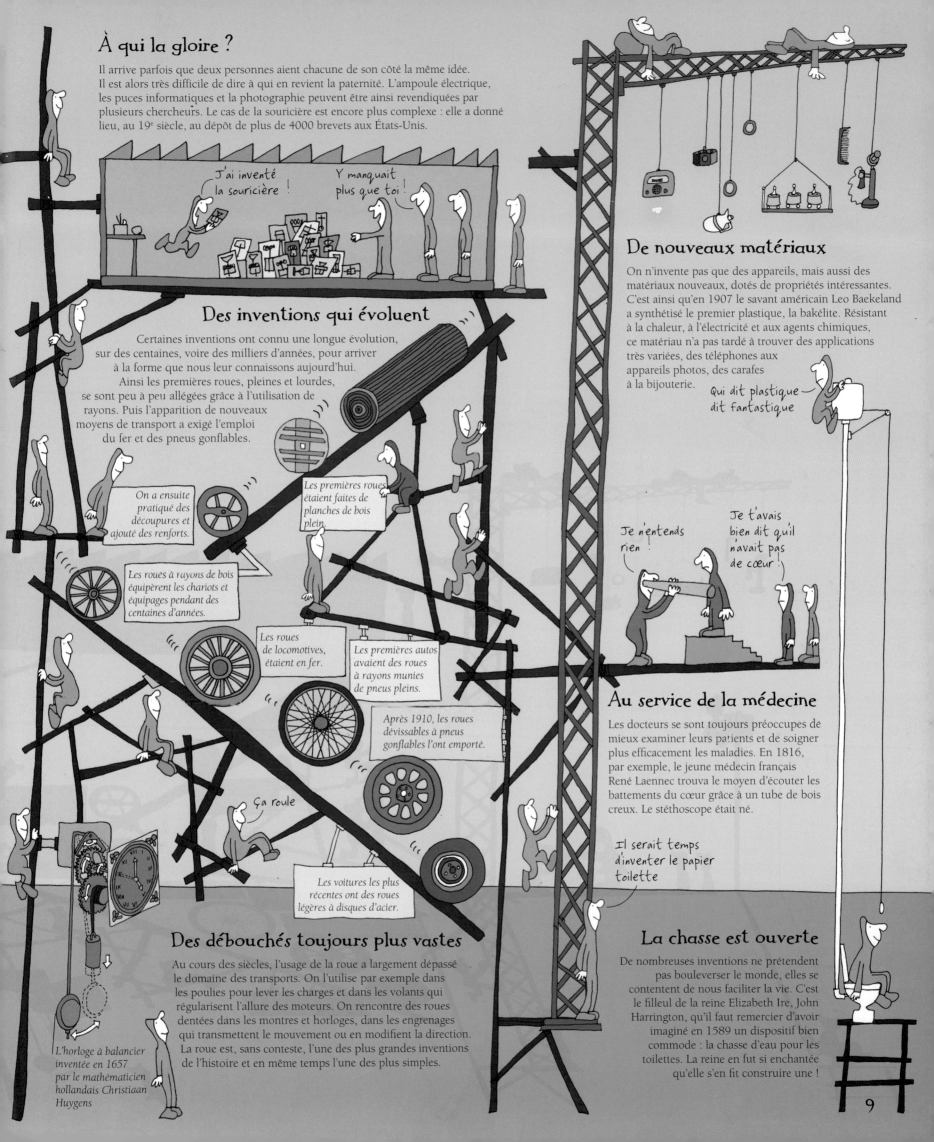

À qui la gloire ?

Il arrive parfois que deux personnes aient chacune de son côté la même idée. Il est alors très difficile de dire à qui en revient la paternité. L'ampoule électrique, les puces informatiques et la photographie peuvent être ainsi revendiquées par plusieurs chercheurs. Le cas de la souricière est encore plus complexe : elle a donné lieu, au 19e siècle, au dépôt de plus de 4000 brevets aux États-Unis.

J'ai inventé la souricière !

Y manquait plus que toi !

De nouveaux matériaux

On n'invente pas que des appareils, mais aussi des matériaux nouveaux, dotés de propriétés intéressantes. C'est ainsi qu'en 1907 le savant américain Leo Baekeland a synthétisé le premier plastique, la bakélite. Résistant à la chaleur, à l'électricité et aux agents chimiques, ce matériau n'a pas tardé à trouver des applications très variées, des téléphones aux appareils photos, des carafes à la bijouterie.

Qui dit plastique dit fantastique

Des inventions qui évoluent

Certaines inventions ont connu une longue évolution, sur des centaines, voire des milliers d'années, pour arriver à la forme que nous leur connaissons aujourd'hui. Ainsi les premières roues, pleines et lourdes, se sont peu à peu allégées grâce à l'utilisation de rayons. Puis l'apparition de nouveaux moyens de transport a exigé l'emploi du fer et des pneus gonflables.

On a ensuite pratiqué des découpures et ajouté des renforts.

Les premières roues étaient faites de planches de bois plein.

Les roues à rayons de bois équipèrent les chariots et équipages pendant des centaines d'années.

Les roues de locomotives, étaient en fer.

Les premières autos avaient des roues à rayons munies de pneus pleins.

Après 1910, les roues dévissables à pneus gonflables l'ont emporté.

Ça roule

Les voitures les plus récentes ont des roues légères à disques d'acier.

Je n'entends rien !

Je t'avais bien dit qu'il n'avait pas de cœur !

Au service de la médecine

Les docteurs se sont toujours préoccupés de mieux examiner leurs patients et de soigner plus efficacement les maladies. En 1816, par exemple, le jeune médecin français René Laennec trouva le moyen d'écouter les battements du cœur grâce à un tube de bois creux. Le stéthoscope était né.

Il serait temps d'inventer le papier toilette

Des débouchés toujours plus vastes

Au cours des siècles, l'usage de la roue a largement dépassé le domaine des transports. On l'utilise par exemple dans les poulies pour lever les charges et dans les volants qui régularisent l'allure des moteurs. On rencontre des roues dentées dans les montres et horloges, dans les engrenages qui transmettent le mouvement ou en modifient la direction. La roue est, sans conteste, l'une des plus grandes inventions de l'histoire et en même temps l'une des plus simples.

L'horloge à balancier inventée en 1657 par le mathématicien hollandais Christiaan Huygens

La chasse est ouverte

De nombreuses inventions ne prétendent pas bouleverser le monde, elles se contentent de nous faciliter la vie. C'est le filleul de la reine Elizabeth Ire, John Harrington, qu'il faut remercier d'avoir imaginé en 1589 un dispositif bien commode : la chasse d'eau pour les toilettes. La reine en fut si enchantée qu'elle s'en fit construire une !

LE VOIR POUR Y CROIRE

Les lentilles de verre, sans doute inventées en Chine il y a plus de mille ans, firent leur apparition en Europe autour de 1270, où elles servirent d'abord à fabriquer des lunettes de vue et des verres grossissants. Au 17e siècle, elles furent intégrées à de nouveaux instruments permettant de voir des objets trop éloignés ou trop petits pour être observés à l'œil nu. Les lunettes astronomiques et les microscopes inaugurèrent une nouvelle étape dans la recherche scientifique, ils nous donnèrent une nouvelle vision du monde et de l'espace extraterrestre.

Incroyable mais vrai

En 1609, l'astronome italien Galilée fut le premier à contempler le ciel à l'aide d'une lunette. Ses ennuis commencèrent quand il affirma que, d'après ses observations, la Terre tournait autour du Soleil et non l'inverse, comme l'enseignait l'Église, et donc qu'elle n'était pas au centre de l'Univers. Emprisonné et menacé de mort, il fut contraint de se rétracter.

Les lentilles de verre

Les lentilles sont des rondelles de verre qui dévient (les savants disent : réfractent) les rayons lumineux. Selon qu'elles sont convexes (bombées) ou concaves (creusées), elles dévient la lumière de façon différente (voir page d'en face, en bas). Les premières grossissent les menus objets, tandis que les secondes rapprochent les objets, mais les font paraître plus petits.

Le microscope électronique

Les plus puissants des microscopes classiques ne grossissent pas plus de 2000 fois. Et plus l'image est agrandie, plus elle perd de finesse. En 1933, le physicien allemand Ernst Ruska a inventé un nouveau type de microscope, où la lumière était remplacée par un faisceau d'électrons, qui donnait une bien meilleure définition. Les microscopes électroniques modernes, avec un grossissement de plus d'un million de fois, permettent d'apercevoir les molécules.

Le microscope de Van Leeuwenhoek

Le drapier hollandais Van Leeuwenhoek parvint à construire pas moins de 247 microscopes, si puissants que leur inventeur fut le premier à apercevoir des bactéries extraites de sa bouche.

Le microscope composé

Le microscope composé, qui comporte deux lentilles ou plus, a sans doute été inventé par le lunetier hollandais Hans Jansen aux environs de 1600.

L'étude au microscope

C'est le savant anglais Robert Hooke qui réalisa un des premiers microscopes. C'était un microscope composé, qui comportait une seconde lentille, ou oculaire, pour agrandir l'image grossie. Hooke l'utilisa pour examiner des animaux et des plantes minuscules, et il publia ses découvertes en 1665 dans un livre célèbre intitulé *Micrographia*, qui présentait un grand dessin, de 60 cm de long, d'une puce.

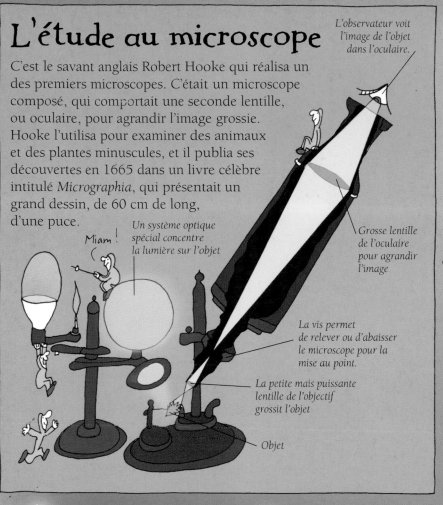

L'observateur voit l'image de l'objet dans l'oculaire.

Grosse lentille de l'oculaire pour agrandir l'image

Miam !

Un système optique spécial concentre la lumière sur l'objet

La vis permet de relever ou d'abaisser le microscope pour la mise au point.

La petite mais puissante lentille de l'objectif grossit l'objet

Objet

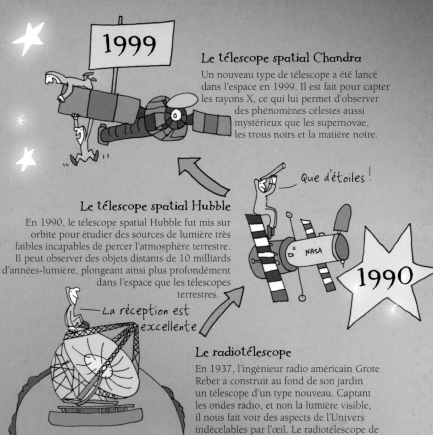

1999

Le télescope spatial Chandra

Un nouveau type de télescope a été lancé dans l'espace en 1999. Il est fait pour capter les rayons X, ce qui lui permet d'observer des phénomènes célestes aussi mystérieux que les supernovae, les trous noirs et la matière noire.

Que d'étoiles !

Le télescope spatial Hubble

En 1990, le télescope spatial Hubble fut mis sur orbite pour étudier des sources de lumière très faibles incapables de percer l'atmosphère terrestre. Il peut observer des objets distants de 10 milliards d'années-lumière, plongeant ainsi plus profondément dans l'espace que les télescopes terrestres.

NASA

1990

La réception est excellente

Le radiotélescope

En 1937, l'ingénieur radio américain Grote Reber a construit au fond de son jardin un télescope d'un type nouveau. Captant les ondes radio, et non la lumière visible, il nous fait voir des aspects de l'Univers indécelables par l'œil. Le radiotélescope de Reber demeura le seul de son espèce pendant près de dix ans.

1937

Le télescope de Herschel

En 1789, l'astronome anglais William Herschel construisit le plus grand télescope jamais réalisé. Avec une longueur de 12 m et un miroir de 1,20 m, il devait être supporté par un échafaudage et tournait sur des glissières circulaires pour pouvoir viser les différentes parties du ciel

Je domine la situation !

1789

Personnel et confidentiel

1608

Quelle belle nuit étoilée !

1663

La lunette astronomique

En 1608, le lunetier hollandais Hans Lippershey a réalisé à partir d'une paire de lentilles ce qui est souvent considéré comme la première lunette d'approche au monde. Il baptisa son invention « verre pour voir » et pensa qu'elle pourrait intéresser les militaires. Galilée construisit sa lunette astronomique (figurée ci-dessus) l'année d'après.

Le télescope

Les images des premières lunettes à lentilles présentaient des franges de couleur. En 1663, le mathématicien écossais James Gregory résolut le problème en remplaçant les lentilles par un miroir concave. Ainsi apparut le télescope. Cinq ans plus tard, le fameux savant anglais Isaac Newton en fabriqua un lui aussi (voir ci-dessous) pour observer les étoiles.

Comment fonctionnent les lentilles

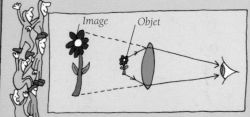

Image *Objet*

Les lentilles convexes

Les lentilles convexes, c'est-à-dire bombées, font apparaître l'objet plus éloigné et plus gros qu'il n'est.

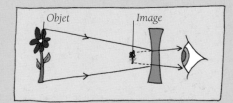

Objet *Image*

Les lentilles concaves

Les lentilles concaves, c'est-à-dire en creux, rapprochent l'objet, qui paraît plus petit.

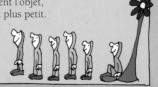

Richard Arkwright

Les usines n'existaient pas avant que le barbier anglais Richard Arkwright invente son métier à filer mû par l'eau. Il entreprit d'industrialiser toutes les opérations de fabrication, rassemblant les ouvriers dans d'immenses ateliers. Son exemple ne tarda pas à être suivi et Arkwright fut connu comme le « père du système usinier ».

1732-1792

1765-1825

Eli Whitney

L'industriel américain Eli Whitney est connu pour avoir réalisé la première égreneuse pour séparer la graine de coton de la fibre. Il démarra ensuite une production en série de fusils pour l'armée américaine à partir de pièces standard interchangeables. Ce fut là l'origine de la méthode américaine de fabrication à la chaîne.

1791-1867

Michael Faraday

Fils d'un forgeron, le savant anglais Michael Faraday est considéré comme le père de l'électricité. Après avoir établi le principe du moteur électrique et de la dynamo, il laissa à d'autres le soin de mettre ses idées en pratique et de construire les appareils.

Ça suffit, les escaliers !

1706-1790

Je vous donne la main ?

Benjamin Franklin

L'un des meilleurs citoyens de l'Amérique, Benjamin Franklin, ne se contenta pas d'inventer le paratonnerre. C'était un écrivain, un imprimeur, un homme d'État, qui contribua grandement à rendre son pays indépendant de l'Angleterre et à créer les États-Unis d'Amérique.

Stop !

Youpii !

Il ne manquait pas d'occupations

1833-1896

C'était un homme à principes !

Quelle belle barbe !

1452-1519

Léonard de Vinci

Le peintre, sculpteur et ingénieur italien Léonard de Vinci était extraordinairement doué. Il a rempli de pleins carnets de croquis de ses inventions et découvertes, qui vont des machines de guerre aux engins volants. Elles ont pour seul défaut, dans la plupart des cas, de n'avoir jamais été construites.

Alfred Nobel

L'inventeur suédois de la dynamite, Alfred Nobel, a amassé une fortune en fabriquant des explosifs. À sa mort, il en a légué une grande partie qui sert à décerner des prix annuels pour la science, la littérature, la paix : les prix Nobel. On a aussi donné son nom à un élément synthétique : le nobélium.

v. −287 à −212

Archimède

Le mathématicien grec Archimède est surtout connu pour s'être exclamé « Eurêka » en sortant de son bain. Son nom est demeuré attaché à une des ses inventions, la vis sans fin ou vis d'Archimède. On lui doit également des machines de siège et les formules de calcul de l'aire et de la circonférence du cercle.

Qui a inventé les expositions ?

Tiens ! Une exposition de machins-trucs géniaux !

Des inventeurs célèbres

Les inventeurs ont les origines sociales les plus diverses : artistes ou barbiers, savants ou hommes d'État. Pour certains, tels Archimède ou Thomas Jefferson, ce ne sont pas les inventions qui ont fait leur célébrité. En revanche, Richard Arkwright ou Thomas Edison doivent leur renommée à des inventions qui ont changé notre vie. Mais ce qu'ils ont tous en commun, c'est leur passion pour innover, résoudre les problèmes et ne jamais renoncer tant qu'ils n'ont pas abouti.

Mattie Knight

Mattie Knight a inventé une machine permettant de fabriquer les sacs en papier à fond carré dans lesquels on transporte les achats de produits alimentaires. Elle avait commencé à inventer dès l'âge de 12 ans, avec un dispositif de sécurité pour les machines textiles.

1838-1914

Ça pourrait marcher

Josephine Cochran

Excédée de voir ses domestiques lui casser sa vaisselle en porcelaine, la riche mondaine Josephine Cochran entreprit d'inventer une machine à laver la vaisselle, puis elle fonda sa propre entreprise de fabrication de ces machines.

1841-1913

Elle a l'air lessivée

Thomas Edison

Thomas Edison fut le plus fertile de tous les inventeurs, avec 1097 brevets déposés à son nom. Travaillant jusqu'à 20 heures par jour, secondé par quelque 3600 collaborateurs, il mit au point des quantités d'appareils, allant des caméras et projecteurs de cinéma aux stylos électriques et aux ampoules à incandescence.

1847-1931

1847-1922

Alexander Graham Bell

Suivant l'exemple de son père, Alexander Graham Bell apprenait aux sourds à parler. C'était aussi un inventeur de talent, qui eut l'idée du téléphone alors qu'il travaillait à un télégraphe harmonique envoyant des messages sous forme de notes de musique.

Je vais changer d'emploi

Guglielmo Marconi

L'inventeur italien Guglielmo Marconi a fait sa première démonstration de télégraphie sans fil à Londres après que des douaniers méfiants eurent mis en pièces son appareil. La télégraphie sans fil ne tarda pas à se répandre dans le monde entier.

1874-1937

Frank Whittle

Le concept d'un moteur à réaction, que fit breveter en 1930 le pilote de la RAF Frank Whittle, laissa indifférent le ministre anglais de l'Aviation. Les autorités ne se décidèrent à soutenir Whittle qu'en 1939, alors qu'il était trop tard pour que l'application de son idée puisse influer sur le déroulement de la Seconde Guerre mondiale.

1907-1996

Nous sommes riches !

Steve Wozniak et Steve Jobs

Pour éviter que l'ordinateur personnel paraisse trop compliqué, ces passionnés d'électronique qu'étaient Steve Wozniak et Steve Jobs donnèrent à leur nouvelle entreprise le nom le plus simple qu'ils aient pu imaginer : Apple (la pomme, en anglais). Dix ans plus tard, ils vendaient dix millions d'ordinateurs Apple par an rien qu'aux États-Unis !

nés respectivement en 1950 et 1955

Que de gens doués !

Ça m'inspire !

Des cartes postales

née en 1923

Stephanie Kwolek

La scientifique américaine Stephanie Kwolek est surtout connue pour avoir inventé une nouvelle fibre synthétique, appelée le Kevlar, cinq fois plus solide que l'acier. Breveté en 1966, le Kevlar est utilisé aussi bien pour produire des gilets pare-balles que des casques de protection et des trampolines.

C'était vraiment magnifique !

À TOUTE VAPEUR

Jusqu'au 18e siècle, les principales forces motrices étaient l'eau, le vent et les chevaux. L'invention du moteur à vapeur allait tout bouleverser. Il fut d'abord utilisé pour extraire l'eau des mines, mais en 1782 l'ingénieur écossais James Watt construisit un nouveau moteur qui ne tarda pas à être utilisé pour actionner des machines. Puis Richard Trevithick eut l'idée géniale de recourir à ce moteur pour faire avancer les wagons sur les rails.

Son cerveau bouillonne

James Watt

Le roi de la vapeur

En réparant une vieille machine à vapeur, l'ingénieur écossais James Watt eut l'idée de l'améliorer et, en 1769, il imagina un modèle beaucoup plus performant. Avec son associé Matthew Boulton, il fabriqua des machines à vapeur qui se vendirent dans le monde entier.

Le moteur à vapeur rotatif

Comme ses prédécesseurs, le premier modèle réalisé par Watt ne pouvait créer qu'un mouvement alternatif de montée et de descente, bon pour le pompage. Mais en 1782 Watt conçut le système bielle-manivelle qui convertissait le mouvement alternatif en mouvement circulaire et permit de remplacer les roues à eau pour actionner les machines du textile et d'autres industries.

3. Le piston, en montant et descendant, agit sur le balancier.

4. Le régulateur à boules stabilise la vitesse.

5. Les basculements du balancier agissent sur le système bielle-manivelle, qui fait tourner le volant.

2. La vapeur admise dans le cylindre fait monter et descendre le piston.

6. Le volant régularise l'allure du moteur.

1. La chaudière transforme l'eau en vapeur.

La Rocket de Stephenson

1829

En 1829 le concours de la meilleure locomotive fut remporté haut la main par la *Rocket* de Stephenson, bientôt mise en service sur la première ligne régulière de voyageurs entre Manchester et Liverpool.

1830

La mort sur les rails

La *Rocket* de Stephenson était la locomotive la plus rapide de son temps, avec la vitesse inouïe pour l'époque de 56 km/h. Beaucoup redoutaient qu'une telle vitesse asphyxie les voyageurs ou leur dérange le cerveau. Mais le pauvre William Huskisson fut tout bonnement écrasé par la *Rocket* le jour même de sa mise en service.

Au travers des continents

La première voie ferrée traversant un continent fut construite aux États-Unis dans les années 60. Avant de se rejoindre en mai 1869, ses deux tronçons durent franchir plus de 3000 km de régions sauvages. Le pays faisait ainsi son unité, et des voyages de six mois furent ainsi réduits à sept jours.

1869

Ça y est, je suis mort.

La locomotive à vapeur

En 1803, l'ingénieur anglais Richard Trevithick construisit la première locomotive à vapeur pour le transport du charbon. Puis en 1808 il installa à Londres un chemin de fer circulaire pour sa nouvelle machine, baptisée *Catch Me Who Can* (« Rattrape-moi si tu peux »). Le voyage ne coûtait que 1 shilling.

1803

Tous à bord !

1825

1863

où est-il passé ?

Gare à la chute !

Le chemin de fer public

La première ligne de chemin de fer public mesurait seulement 20 km. Construite en 1825, elle transportait voyageurs et marchandises entre Stockton et Darlington dans le nord de l'Angleterre.

Le train plonge sous terre

En 1863 démarra à Londres la première desserte par train souterrain à vapeur. Le jour de l'ouverture, il fut même emprunté par le futur Premier ministre William Gladstone.

La locomotive à vapeur

Aux tout débuts des chemins de fer, c'est la *Rocket* de Stephenson qui servit de modèle pour la construction des locomotives. Son élément principal était une chaudière formée de 150 tubes à feu, dans lesquels passaient les gaz chauds provenant du foyer, chauffant l'eau et la transformant en vapeur. Celle-ci, dans un cylindre à double effet (voir ci-contre), déplaçait un piston qui entraînait les roues.

Fameux !

Comment fonctionne un cylindre double effet

Dans un cylindre à double effet, la vapeur à haute pression pénètre d'abord d'un côté du piston, puis de l'autre. Ainsi, le piston est actif à chaque mouvement, ce qui améliore le rendement de la machine. Son effort est ensuite transmis par sa tige aux roues et au tiroir qui commande l'admission de la vapeur dans le cylindre.

4. Les gaz chauds recueillis dans la boîte à fumée s'échappent par la cheminée

3. Des tuyaux acheminent la vapeur vers les cylindres

Eau dans la chaudière

2. Les gaz chauds, en traversant les tubes à feu, font bouillir l'eau

1. La chaleur est produite par le charbon dans le foyer

Cheminée

ouille... Chaud !

Foyer

Qui veut du charbon ?

Steam in

1. La vapeur pénètre dans le cylindre par l'orifice de gauche

Le tiroir ferme l'orifice de droite

Tige du tiroir

Cylindre

2. La vapeur pousse le piston vers la droite

3. La tige du piston transmet le mouvement aux roues par l'intermédiaire de la bielle

4. Le tiroir, poussé vers la gauche par la tige du piston, ferme l'orifice de gauche

7. La vapeur détendue ressort par l'échappement.

5. La vapeur parvient aux cylindres et déplace les pistons

Les roues avant aident à supporter le poids de la machine et pivotent dans les courbes

6. La tige du piston transmet le mouvement par l'intermédiaire de la bielle

La bielle fait tourner les roues

Les grandes roues sont motrices

5. Maintenant, la vapeur pénètre dans le cylindre par l'orifice de droite

6. Le piston, repoussé vers la gauche, ramène le tiroir vers l'arrière et finit de faire faire un tour complet aux roues

Finissez vite la voie !

1879

La locomotive électrique

Le premier train électrique fut construit par l'ingénieur allemand Werner von Siemens en 1879. Plus rapides, plus silencieuses et plus faciles à conduire, les motrices électriques étaient bien placées pour détrôner les locomotives à vapeur.

La locomotive diesel

Mis au point d'abord en Allemagne en 1912, les engins diesel connurent beaucoup de succès dans les années 1930. Avec les trains électriques, ils conduisirent à la disparition de la traction vapeur.

1912

Big Boy

La plus grosse locomotive à vapeur de l'histoire fut la puissante américaine *Big Boy* (« Gros garçon »), construite en 1941. Utilisée pour faire traverser les montagnes aux trains de marchandises, elle pesait le poids phénoménal de 600 tonnes.

1941

Quel mastodonte, nom d'un Cervelot !

1981 Le TGV

Mise en service en France, entre Paris et Lyon, du train qui a établi le record absolu de vitesse sur rails avec 515 km/h.

Plus vite, plus vite !

Fait pour la vitesse

En 1938, la locomotive britannique *Mallard* établit le record de vitesse vapeur, jamais dépassé depuis, avec 205 km/h.

1938

C'est un train, ça ?

Un train ne peut rouler aussi vite !

2003

Le Maglev

Le premier chemin de fer du monde à sustentation magnétique s'est ouvert en Chine, à Shanghai en 2003. Avec ce système, les rames planent littéralement au-dessus d'un rail unique, avancent sous l'effet d'un champ magnétique et peuvent atteindre des vitesses de 430 km/h.

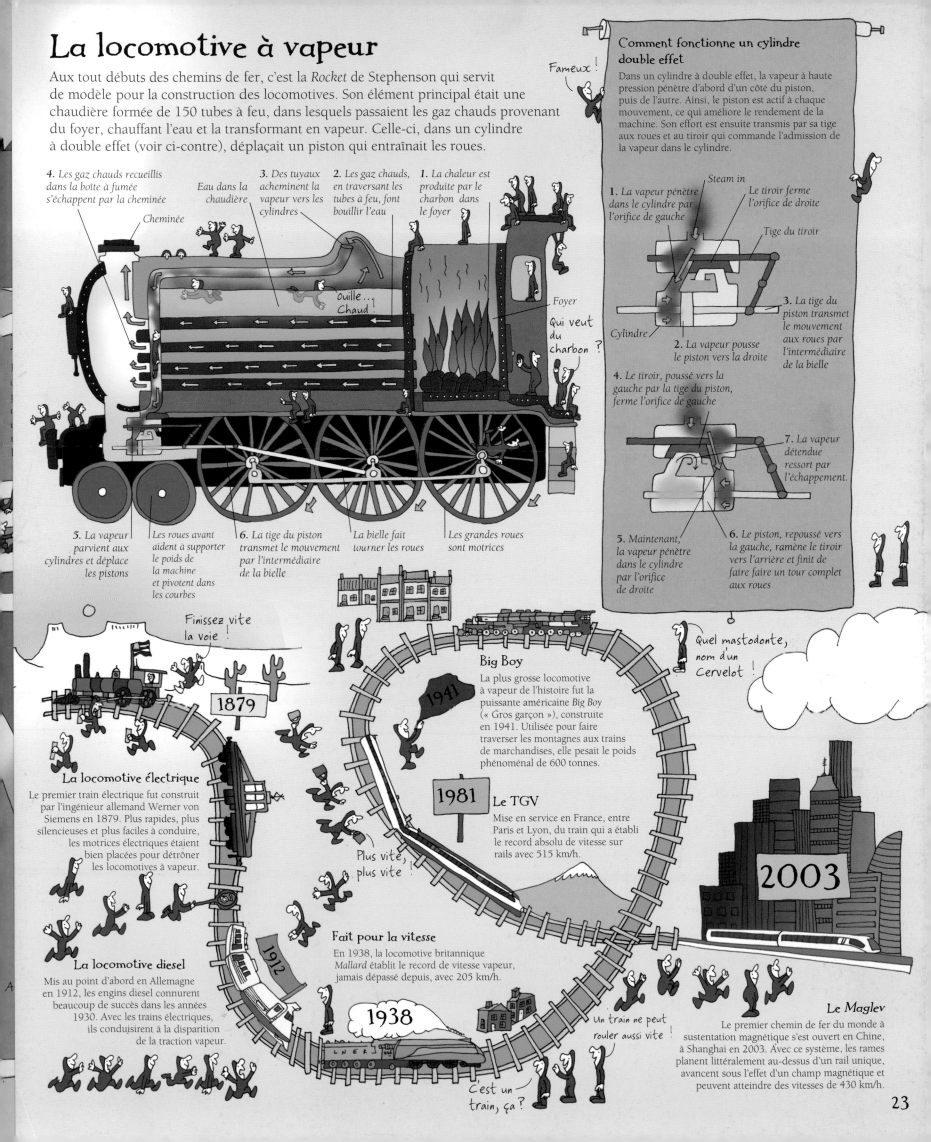

DES INVENTIONS DÉLIRANTES

Pendant les 150 dernières années, le désir de sauver des vies, d'améliorer les déplacements ou, tout simplement, de rendre la vie un petit peu plu[s] facile a parfois suscité des inventions folles. Certaines, comme le tramway à corps de cheval, ont quand même vu le jour. D'autres, à l'image de la machine volante propulsée par des aigles, étaient trop farfelues pour qu'on ait pu penser qu'elles puissent jamais marcher.

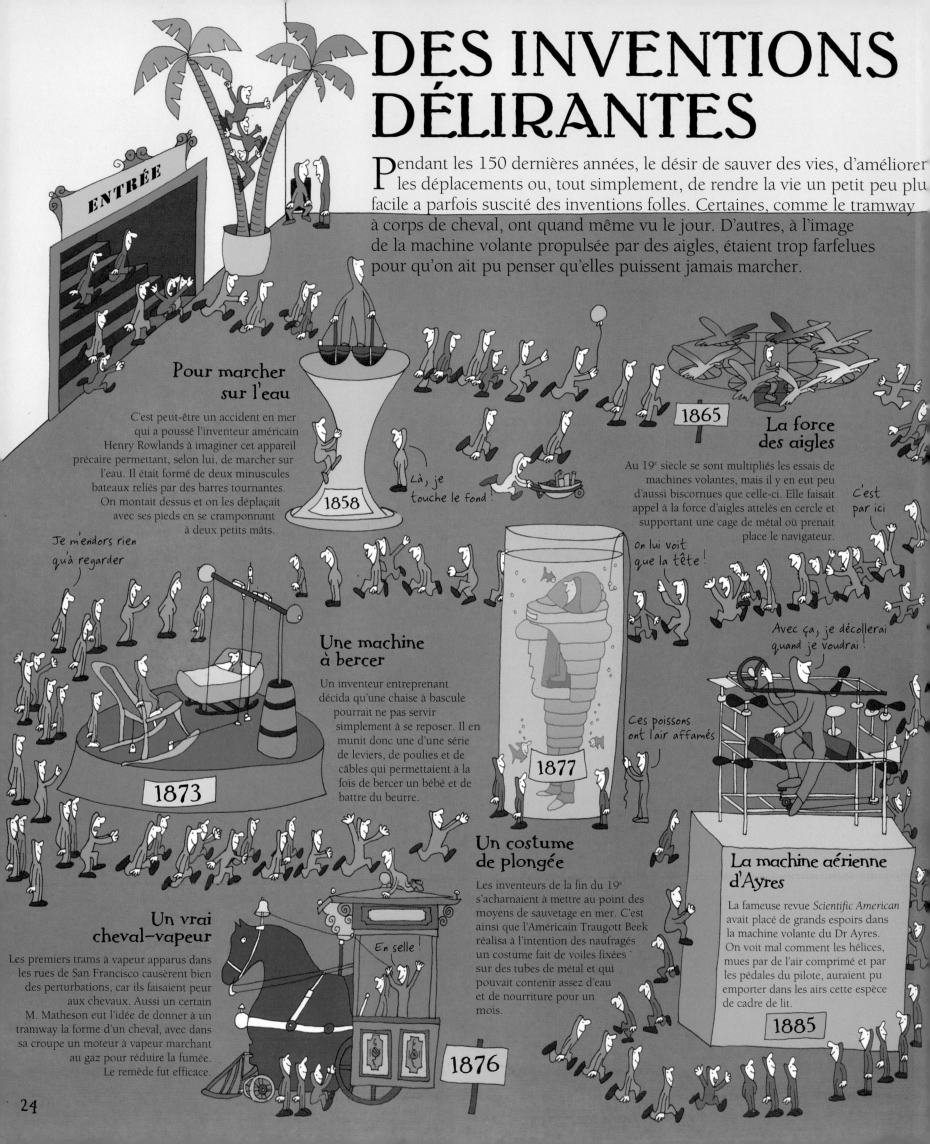

ENTRÉE

Pour marcher sur l'eau

C'est peut-être un accident en mer qui a poussé l'inventeur américain Henry Rowlands à imaginer cet appareil précaire permettant, selon lui, de marcher sur l'eau. Il était formé de deux minuscules bateaux reliés par des barres tournantes. On montait dessus et on les déplaçait avec ses pieds en se cramponnant à deux petits mâts.

1858

Là, je touche le fond !

1865

La force des aigles

Au 19e siècle se sont multipliés les essais de machines volantes, mais il y en eut peu d'aussi biscornues que celle-ci. Elle faisait appel à la force d'aigles attelés en cercle et supportant une cage de métal où prenait place le navigateur.

C'est par ici

Je m'endors rien qu'à regarder

On lui voit que la tête !

Avec ça, je décollerai quand je voudrai !

Une machine à bercer

Un inventeur entreprenant décida qu'une chaise à bascule pourrait ne pas servir simplement à se reposer. Il en munit donc une d'une série de leviers, de poulies et de câbles qui permettaient à la fois de bercer un bébé et de battre du beurre.

1873

Ces poissons ont l'air affamés

1877

Un costume de plongée

Les inventeurs de la fin du 19e s'acharnaient à mettre au point des moyens de sauvetage en mer. C'est ainsi que l'Américain Traugott Beek réalisa à l'intention des naufragés un costume fait de voiles fixées sur des tubes de métal et qui pouvait contenir assez d'eau et de nourriture pour un mois.

La machine aérienne d'Ayres

La fameuse revue *Scientific American* avait placé de grands espoirs dans la machine volante du Dr Ayres. On voit mal comment les hélices, mues par de l'air comprimé et par les pédales du pilote, auraient pu emporter dans les airs cette espèce de cadre de lit.

1885

Un vrai cheval-vapeur

Les premiers trams à vapeur apparus dans les rues de San Francisco causèrent bien des perturbations, car ils faisaient peur aux chevaux. Aussi un certain M. Matheson eut l'idée de donner à un tramway la forme d'un cheval, avec dans sa croupe un moteur à vapeur marchant au gaz pour réduire la fumée. Le remède fut efficace.

En selle !

1876

Je vois des gâteaux !

CAFÉ

Une valise de survie

La valise de l'Allemand Krankel pouvait se transformer en gilet de survie. Les passagers n'avaient qu'à retirer ses deux panneaux mobiles, à boucher le trou avec un rond de caoutchouc et à l'enfiler sur eux.

années 1880

Le monocycle

Même après l'invention de la bicyclette, certains continuaient à penser que l'avenir appartenait aux vélos à une roue, ou monocycles. Pourtant, des engins comme celui-ci étaient pratiquement impossibles à diriger et, avec tous leurs rayons, on voyait mal comme pénétrer à l'intérieur !

1884

J'en veux une

Le chapeau qui se lève tout seul

Que pouvait faire un monsieur très bien élevé aux deux bras encombrés s'il croisait une dame ? La réponse lui proposée par James Boyle. Il suffisait au monsieur d'incliner légèrement la tête pour actionner un mécanisme qui soulevait automatiquement son chapeau.

Je lui tire mon chapeau !

1896

Oui, mais comment va-t-il sortir ?

Il est bien installé !

Le vélodouche

Un cycliste français imaginatif se demanda s'il ne pourrait pas s'entraîner tout en prenant sa douche matinale. En pédalant sur son « vélodouche », il faisait monter l'eau. Plus il appuyait sur les pédales, et plus le jet était fort.

1896

Ch-chut !

1971

Allez roulez !

Parapluies à vendre !

Des câlins mécaniques

L'inventeur américain Thomas Zelenka, qui avait sans doute du mal à endormir son bébé, construisit un bras électrique pour faire ce travail à sa place. Suspendu à un côté du lit, le bras tapotait gentiment le derrière du petit.

La boule roulante

Conçu par Alessandro Dandini, ce curieux navire comportait deux cabines fixées de deux côtés d'une boule motorisée. En théorie, en cas d'incident, de petites charges explosives pouvaient détacher les cabines, qui se mettaient à flotter. Mais alors la boule, déséquilibrée, tournait dans tous les sens.

1976

Le Chindogo

L'artiste japonais Kenji Kawakami a lancé la mode des objets farfelus quand il a inventé le Chindogo, autrement dit « l'outil à ne rien faire ». Parmi ces objets, destinés à créer plus de problèmes qu'ils n'en résolvent, on trouve une lampe-torche à énergie solaire, un passage pour piétons portatif et une fourchette à nouilles motorisée.

Idiot !

Dingue !

Non, juste loufoque

1990 et plus

On ne risque rien à passer par là ?

25

Que la lumière soit !

Edison   Swan

Il n'était pas facile, au début du 19e siècle, de s'éclairer. Les chandelles de cire étaient chères, les lampes à huile avaient une odeur, l'éclairage au gaz fumait, tachait les meubles et tuait les plantes en pot. Dans les années 1870, deux inventeurs, chacun de leur côté, trouvèrent une solution bon marché, propre, et qui se commandait avec un simple petit bouton : l'ampoule électrique.

Une illumination

Bien que Swan ait devancé Edison de quelques mois, les deux hommes ne tardèrent pas à se contester le droit d'obtenir un brevet. Mais en 1883, ils y virent enfin clair et, au lieu de se disputer, unirent leurs forces pour produire l'ampoule « Ediswan ».

Comment fonctionne une ampoule

L'ampoule d'Edison et Swan fonctionnait sur le principe de l'incandescence, selon lequel un filament traversé par un courant électrique produit de la lumière et de la chaleur. Les ampoules modernes utilisent le même principe, mais leur filament est désormais en tungstène, et non en carbone ; ainsi il dure plus longtemps et produit un éclat plus vif.

L'ampoule de verre contient un gaz inerte qui empêche le filament de brûler

Le filament de tungstène brille quand un courant le traverse

Quel éclat !

Une monture en verre supporte le filament

Les fils du support amènent le courant électrique au filament

Le culot est alimenté par le secteur

Regarde ! Ça brille sans Flamme !

Ampoule de verre

À l'intérieur, le vide

Filament de coton carbonisé

Et ça s'allume sans allumette !

LA PREMIÈRE AMPOULE ÉLECTRIQUE D'EDISON

L'ampoule qui éclaire

En 1879 le chimiste britannique Joseph Swan et l'inventeur américain Thomas Edison présentèrent ensemble une ampoule éclairante dont le filament brillant était plongé dans le vide. Le problème avait été de trouver la matière qui ne se consumerait pas en quelques minutes. Après avoir testé 1200 matériaux, y compris les lignes de pêche et les poils de coco, Edison conclut à la supériorité du filament de coton carbonisé.

1792   1800   1807   1831   1866

Ils nous ont Flanqué une sacrée pile

Il reste juste à inventer la lampe-torche

L'éclairage au gaz

William Murdock a été le premier à installer l'éclairage au gaz dans sa maison de Cornouailles, en Angleterre, en 1792. Au début du 19e siècle, le gaz s'étendit aux rues des villes en Europe et aux États-Unis.

La pile de Volta

La première pile électrique fut inventée par le savant italien Alessandro Volta. C'était un empilement de plaques de métal et de carton imbibé d'eau salée. La pile de Volta a été la première source d'un courant électrique stable, ce qui a facilité les expériences sur le fluide électrique.

Un arc de lumière

Le chimiste anglais sir Humphrey Davy a utilisé une pile pour alimenter son invention : la lampe à arc. Mais l'éclairage à l'arc ne fut pas utilisé dans les rues jusque dans les années 1870, tant que n'eut pas été mise au point une puissante source d'alimentation. De toute façon, il est trop brillant pour être utilisé dans les maisons.

La production du courant

Quand Michael Faraday découvrit qu'en faisant tourner un aimant à l'intérieur d'une bobine de fil, il pouvait produire (on dit aussi : « induire ») un courant électrique, il venait d'inventer la dynamo, première machine à produire de l'électricité. Une découverte d'une importance décisive.

La pile Leclanché

En plongeant des barres de zinc et de carbone dans un récipient en verre contenant des solutions chimiques, l'ingénieur français Georges Leclanché inventa en 1866 un nouveau type de pile. C'était l'ancêtre des piles sèches d'aujourd'hui, utilisées pour alimenter quantité d'appareils et de jouets.

Le générateur

À quoi pouvait bien servir l'ampoule électrique si l'on n'amenait pas l'électricité dans les maisons ? C'est Edison qui régla le problème en imaginant tout un système de distribution électrique, allant des générateurs haute tension et des câbles isolés aux prises et aux interrupteurs. En 1882, il inaugura la première centrale à Pearl Street, à New York, avec des générateurs entraînés par des moteurs à vapeur et qui alimentaient 13 000 lampes dans les logements et les bureaux de plusieurs pâtés de maisons.

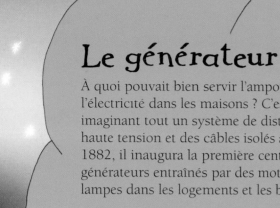

Champ magnétique créé entre les pôles de l'aimant

Pôle sud

Pôle nord

Commutateur

La bobine de fil (l'armature) tourne

Le courant traverse le circuit

Quand du courant passe dans le circuit, l'ampoule s'allume

Les générateurs (alternateurs) au travail

Ces machines utilisent le principe de l'« induction électromagnétique » : un courant électrique apparaît dans une bobine de fil conducteur qui se déplace dans un champ magnétique. Sur ce schéma, on fait tourner la bobine à la manivelle. Edison, lui, prit un moteur à vapeur. Comme les générateurs produisent du courant alternatif (qui change continuellement de sens), d'où leur nom actuel d'alternateurs, Edison a utilisé un redresseur pour le transformer en courant continu (qui s'écoule toujours dans le même sens), envoyé aux usagers.

LES GÉNÉRATEURS D'EDISON SUR PEARL STREET

Le volant, entraîné par le moteur à vapeur, fait tourner l'armature

1. L'électro-aimant génère un champ magnétique

2. La rotation de l'induit (bobine de fil conducteur) produit un courant alternatif.

5. Le courant électrique part vers les logements et les bureaux

4. Les balais en charbon recueillent le courant continu

3. Le redresseur transforme le courant alternatif en courant continu

Quel est le programme aujourd'hui ?

1880 — Ils sont chouette, ces trucs, mais ils m'empêchent de dormir

1882 — Il me faut des lunettes de soleil !

Ouah ! On dirait un phare

1888 — Quel méli-mélo !

1901 — Elle a pas de filament, l'ampoule !

Et elle me fait paraître vert

1912

Ampoules à vendre

Moins d'un an après avoir inventé les ampoules à incandescence, Thomas Edison commençait déjà à en vendre. Le modèle amélioré utilisait du bambou carbonisé comme filament et durait plus de 1 100 heures !

Du courant pour Pearl Street

La centrale construite par Edison sur Pearl Street en 1882 a inauguré l'âge de l'électricité. Elle fut rapidement suivie par d'autres, qui utilisaient des systèmes différents. Le principal rival d'Edison fut George Westinghouse, qui fournissait, lui, du courant alternatif.

La turbine à vapeur

L'Irlandais Charles Persons inventa un nouveau type de moteur à vapeur : la turbine. En 1888 celle-ci fut utilisée pour entraîner des générateurs d'électricité. Jusqu'à présent, ce sont toujours des turbines qui font marcher les centrales électriques et les grands navires.

L'éclairage fluorescent

En 1901, l'ingénieur électricien américain Peter Cooper-Hewitt imagina une ampoule électrique sans filament. C'était la lampe à vapeur de mercure, qu'il fallait incliner pour l'allumer. L'idée n'eut pas de succès, mais elle ressurgit en 1935 sous la forme du tube fluorescent.

Les enseignes au néon

Le physicien français Georges Claude découvrit qu'en faisant passer un courant dans un tube en verre rempli de néon, on obtenait une brillante lumière rouge. En 1912, mettant son idée en pratique, il lança les enseignes au néon.

Loin du spectaculaire

Les objets les plus simples ont bien dû, eux aussi, être inventés, qu'il s'agisse du pain tranché, des épingles de sûreté ou des jeans.

Les fausses dents

Les Étrusques, qui dominaient l'Italie centrale avant les Romains, furent les premiers à porter de fausses dents, faites avec des dents d'animaux fixées sur des montures en or. Les pauvres, qui ne pouvaient s'en payer, se faisaient des bains de bouche avec des dents de chien bouillies dans du vin !

Les patins à roulettes

Les premiers patins à roulettes dont on a gardé le souvenir ont été portés par un Belge du nom de Joseph Merlin qui fit irruption sur ses patins dans une salle de bal tout en jouant du violon. Mais, incapable de freiner ou de tourner, il percuta un miroir de très grand prix, qu'il brisa en mille morceaux.

Les boîtes de conserve

Le premier brevet de conservation des aliments dans des « récipients en étain ou autres métaux » fut déposé par l'Anglais Peter Durand en 1810. Deux ans plus tard, Bryan Donkin et John Hall fondèrent la première conserverie. L'ouvre-boîte ne vint que 43 ans plus tard.

Le ruban élastique

Six ans après l'invention du caoutchouc vulcanisé, le caoutchoutier anglais Stephen Perry créa le ruban élastique pour tenir ensemble des documents. Il ne fallut pas longtemps aux enfants pour lui trouver un autre emploi, celui de fronde servant à bombarder leurs camarades.

L'épingle de sûreté

Que deviendrions-nous sans les épingles de sûreté ? Les épingles à fermoir remontent peut-être à l'époque romaine, mais c'est l'inventeur américain Walter Hunt qui fit breveter en 1849 le modèle que nous utilisons encore aujourd'hui. Selon la plaisanterie lancée par quelqu'un au moment de la mort de Hunt : « Sans lui, nous serions tout nus ! »

Le jean

Quand on demanda à un tailleur californien s'il pourrait faire un pantalon de travail avec des poches qui ne se déchirent pas, il eut l'idée de consolider les coins des poches avec des rivets de métal résistant aux efforts. Il s'associa bientôt au fabricant de tissus de coton Levi Strauss, et ce fut la naissance des jeans Levi's !

1893

La fermeture éclair

La fermeture éclair, ou zip, fut inventée par l'ingénieur américain Whitcomb Judson pour fermer les bottes, mais elle avait le gros défaut de s'ouvrir toute seule. Sous sa forme actuelle, elle a été créée en 1913 par l'ingénieur suédois Gideon Sundback.

oops !

1914

Stop !

Courons !

Les feux de croisement

Les premiers feux de croisement furent installés à un carrefour de Cleveland (États-Unis). Mais au lieu de trois lampes, ils n'en comportaient que deux : une verte et une rouge, plus un signal sonore d'avertissement. Les premiers feux tricolores furent mis en place à New York quatre ans plus tard.

1928

Le pain tranché

Le bijoutier américain Otto Frederick Rohwedder avait la passion du pain. Il passa 16 années de sa vie à perfectionner sa machine à couper le pain en tranches. On commença à vendre du pain en tranches à Chillicothe, aux États-Unis. En 1933, 80 % de tout le pain vendu dans ce pays était prétranché.

Le siège éjectable

Le premier siège éjectable fut monté sur un chasseur à réaction expérimental allemand Heinkel. Propulsé par de l'air comprimé, il prouva son utilité quelques mois plus tard quand il fut utilisé pour un vrai cas d'urgence. L'avion s'écrasa, mais grâce au siège, le pilote fut sauvé.

Quel bel envol !

C'est là où il faut dire : « Prenez un siège »!

Atterrissage en douceur

oui, jetez la couche, mais pas le bébé !

1951

Les couches jetables

Les couches imperméables et jetables pour bébés inventées par l'Américaine Marion Davis connurent un tel succès qu'elle ne put faire face à la demande. Elle vendit alors ses droits à un fabricant de vêtements pour enfants pour 1 million de dollars, ce qui la mit à l'abri du besoin pour le reste de ses jours.

Un toast, niam !

1941

Permettez-moi de vous présenter mon nouveau cœur

1977

La souris

Bien des gens ont travaillé à la mise au point de l'ordinateur, mais la souris n'a qu'un seul père, l'informaticien américain Douglas Engelbart. Breveté en tant que « indicateur de position X-Y pour système d'affichage », son aspect compact et le câble qui figure une longue queue lui ont bientôt valu un nom plus court et plus amusant.

1964

Crouic !

Le cœur artificiel

Le cœur humain bat en moyenne deux milliards et demi de fois dans une vie. Il n'est donc pas surprenant qu'il puisse parfois tomber en panne. Le premier cœur artificiel réussi, le Jarvik-7, fut réalisé par le médecin américain Robert Jarvik. Quand il fut utilisé la première fois pour remplacer un cœur en 1982, le patient survécut 112 jours.

1885

La première voiture

Karl Benz construisit la première voiture capable de rouler en 1885. Elle était mue par un moteur à essence, se dirigeait à l'aide d'une barre et ne possédait que trois roues.

Ça roule !

L a machine à vapeur avait fait naître l'industrie et les transports modernes. Cependant, trop lourde et trop lente à démarrer, elle dut abandonner les routes au moteur à combustion interne, ou moteur à explosion après plus de vingt ans de résistance. Son rival avait commencé sa carrière dans l'immobilité, en actionnant des machines fixes dans des usines. C'est lui néanmoins qui devait complètement révolutionner les transports au 20ᵉ siècle en se transformant en un dispositif léger et performant dont l'emploi s'est imposé à tous.

Vers l'avenir

Benz   Daimler

Deux fous de moteurs

Karl Benz et Gottlieb Daimler se firent concurrence dans la création des premières voitures.

Le moteur à explosion

Les premiers moteurs à explosion marchaient au gaz de houille. Puis, en 1885, les ingénieurs allemands Gottlieb Daimler et Wilhelm Maybach firent fonctionner un moteur à essence. Comportant au début un seul cylindre à quatre temps (voir à droite), il évolua rapidement vers une version à quatre cylindres, toujours utilisée jusqu'à présent. La combustion du carburant à l'intérieur des cylindres fait descendre le piston et tourner le vilebrequin.

L'arbre à cames commande l'ouverture et la fermeture des soupapes

La courroie crantée transmet le mouvement du vilebrequin à l'arbre à cames

Soupape d'admission

Les cylindres contiennent des pistons étroitement ajustés

Le piston de chaque cylindre monte et descend alternativement, faisant tourner le vilebrequin à chaque temps moteur

Le vilebrequin transforme le mouvement alternatif en mouvement rotatif

À tout moment, chacun des quatre cylindres se trouve à une phase différente du cycle à quatre temps

Les gaz brûlés sortent par la soupape d'échappement

Bougie

Le volant évite les à-coups du moteur

Les temps moteurs se succèdent rapidement dans les différents cylindres, actionnant ainsi constamment le moteur

Le cycle à quatre temps

Chaque cylindre d'un moteur en marche passe par quatre étapes successives ; c'est ce qu'on appelle le cycle à quatre temps. Quand l'un des cylindres en est à l'admission, son voisin effectue la compression, et ainsi de suite.

Temps d'admission 1.

Soupape d'admission

Mélange carburant-air

Piston

Le piston descend, aspirant le mélange carburant-air dans le cylindre par la soupape d'admission.

Temps de compression 2.

Cylindre

Piston

Le piston remonte, comprimant le mélange carburant-air.

Temps de combustion 3.

Bougie

Vilebrequin

L'étincelle produite par la bougie allume le mélange et les gaz en expansion font descendre le piston.

Temps d'échappement 4.

Soupape d'échappement

Le piston remonte, chassant les gaz brûlés du cylindre par la soupape d'échappement

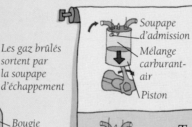

2005

La voiture la plus rapide

La voiture de série la plus rapide et la plus chère est l'imposante Bugatti Veyron. Avec son moteur 16 cylindres, elle atteint l'époustouflante vitesse de 400 km/h.

À essence ou électrique ?

Les deux

1997

Pour purifier l'air

Pour réduire la pollution, Toyota a produit en 1997 l'une des premières voitures hybrides du monde. Appelée la Prius, elle a un moteur électrique pour les basses vitesses et un autre à essence pour les vitesses élevées.

Dis donc, elle a trois roues !

Et elle fonce !

Elle roule beaucoup mieux avec quatre roues

La première quatre-roues

L'année suivante, Gottlieb Daimler construisit la première voiture à quatre roues mais, plutôt que de partir de zéro, il monta simplement un moteur à essence sur une charrette à chevaux.

1886

Drôle de publicité !

1896

En 1896, une dame âgée, Mme Bridges Driscoll, fut tuée près de Crystal Palace, à Londres, par un homme qui conduisait une voiture qu'il venait de voler. Il n'allait pourtant qu'à 6 km/h !

La première auto « moderne »

La Panhard Levassor de 1891 annonçait déjà les voitures modernes : moteur à l'avant, pédale pour commander l'embrayage, boîte de vitesse centrale, traction arrière.

Stop !

À cette époque, les roues étaient en bois, parfois avec des bandages de caoutchouc pleins. Les frères Michelin montèrent les premiers en 1895 des **bandages gonflables, ou pneus,** qui rendirent les voitures bien plus confortables.

Elle est morte !

Aïe !

Je t'avais bien dit de ralentir !

Je suis écœuré !

C'est une révolution

1903

1933

Le Boeing 247

Les premiers avions civils de transpor[...] d'ailes. C'était des rescapés de la Prem[...] Ensuite, des modèles furent construit[...] faire face à la demande croissante. Le [...] « moderne » fut en 1933 le Boeing 2[...] entièrement métallique qui pouvait e[...] à la vitesse de croisière de 250 km/h.

Un démarrage rapide

La première voiture munie d'un démarreur électrique fut l'Arnold anglaise, en 1896. Mais les moteurs à démarreur ne s'imposèrent qu'en 1912, quand la société américaine Cadillac en équipa toutes ses voitures.

C'est du lourd !

Levier de vitesses

Ah, la musique !

Saute !

Gare au choc !

1912

La Panhard-Levassor fut la première voiture au **moteur placé à l'avant.** Le report du poids sur les roues avant rendait le véhicule plus aisé à diriger.

Les premières voitures étaient dirigées grâce à une barre. Mais le **volant** apparut dès 1894.

Des **postes de radio** furent montés sur des voitures dès 1927, très vite donc après le début des émissions **radiophoniques.**

Le premier **pare-choc** apparut sur une voiture montée en Bohème en 1897, mais il se détacha au bout de 15 km et personne ne s'occupa de le remettre en place.

Ça en met plein la vue !

L'arbre a une bosse

Quelle belle étincelle !

Les premières voitures étaient éclairées par des lanternes à chandelles. Les **phares électriques** apparurent en 1908.

Le premier **arbre de transmission** fut monté sur une Renault en 1898. Jusque là, les roues étaient entraînées par une chaîne, comme sur un vélo.

Les **bougies** furent inventées en 1902 par l'ingénieur allemand Gottlieb Daimler.

1936

Oua-ah !

Les voitures à moteur rotatif

La NSU Spider 1964 fut la première voiture à moteur rotatif. Dans ce moteur, inventé par Felix Wankel en 1956, les pistons qui montent et descendent sont remplacés par des pièces tournantes.

Plutôt bruyant, hein ?

Quèsaco ?

Les voitures diesel

La première voiture série propulsée par un moteur diesel est sortie de chez Mercedes-Benz en 1936. Les diesel consomment moins que les voitures à essence et reviennent moins cher.

Chut !

1964

De gros ratés

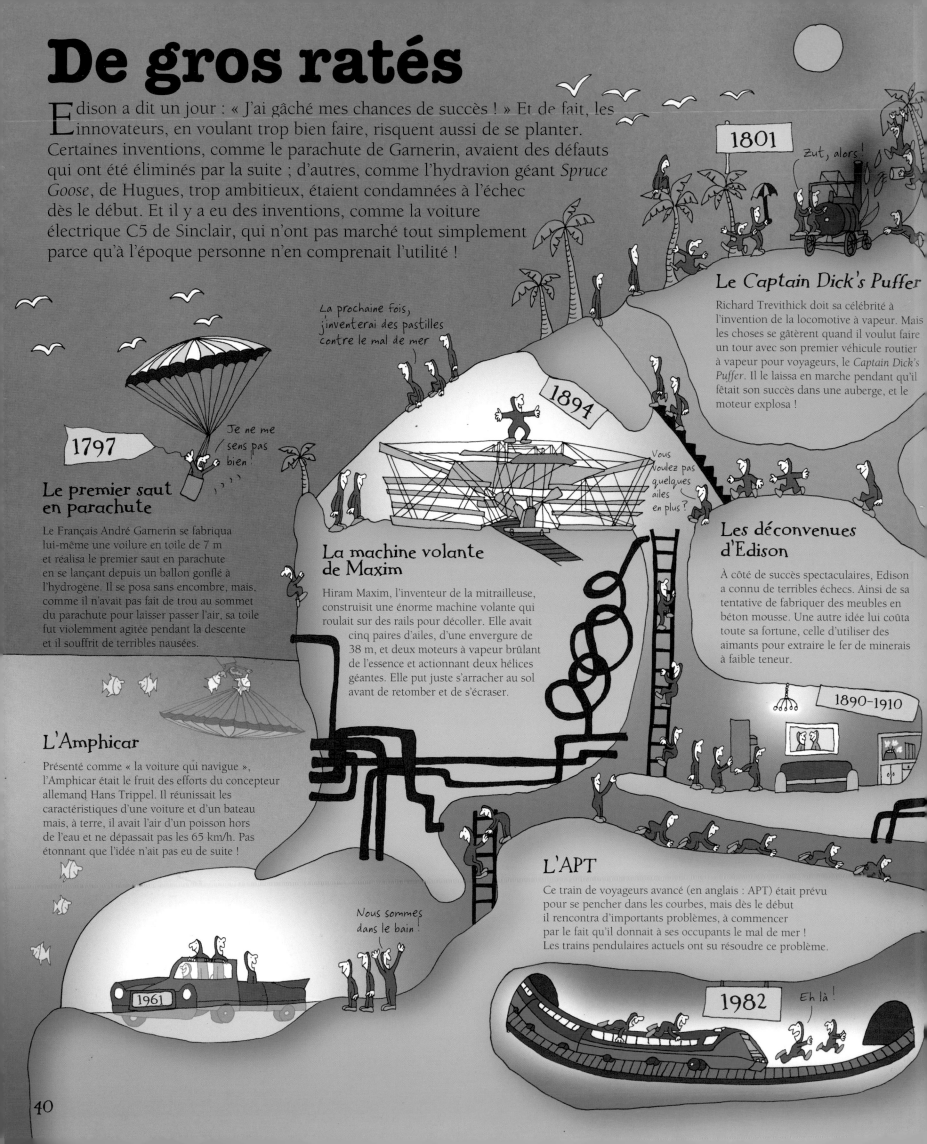

Edison a dit un jour : « J'ai gâché mes chances de succès ! » Et de fait, les innovateurs, en voulant trop bien faire, risquent aussi de se planter. Certaines inventions, comme le parachute de Garnerin, avaient des défauts qui ont été éliminés par la suite ; d'autres, comme l'hydravion géant *Spruce Goose*, de Hugues, trop ambitieux, étaient condamnées à l'échec dès le début. Et il y a eu des inventions, comme la voiture électrique C5 de Sinclair, qui n'ont pas marché tout simplement parce qu'à l'époque personne n'en comprenait l'utilité !

1801

Zut, alors !

Le Captain Dick's Puffer

Richard Trevithick doit sa célébrité à l'invention de la locomotive à vapeur. Mais les choses se gâtèrent quand il voulut faire un tour avec son premier véhicule routier à vapeur pour voyageurs, le *Captain Dick's Puffer*. Il le laissa en marche pendant qu'il fêtait son succès dans une auberge, et le moteur explosa !

La prochaine fois, j'inventerai des pastilles contre le mal de mer

1894

Vous voulez pas quelques ailes en plus ?

1797

Je ne me sens pas bien !

Le premier saut en parachute

Le Français André Garnerin se fabriqua lui-même une voiture en toile de 7 m et réalisa le premier saut en parachute en se lançant depuis un ballon gonflé à l'hydrogène. Il se posa sans encombre, mais, comme il n'avait pas fait de trou au sommet du parachute pour laisser passer l'air, sa toile fut violemment agitée pendant la descente et il souffrit de terribles nausées.

La machine volante de Maxim

Hiram Maxim, l'inventeur de la mitrailleuse, construisit une énorme machine volante qui roulait sur des rails pour décoller. Elle avait cinq paires d'ailes, d'une envergure de 38 m, et deux moteurs à vapeur brûlant de l'essence et actionnant deux hélices géantes. Elle put juste s'arracher au sol avant de retomber et de s'écraser.

Les déconvenues d'Edison

À côté de succès spectaculaires, Edison a connu de terribles échecs. Ainsi de sa tentative de fabriquer des meubles en béton mousse. Une autre idée lui coûta toute sa fortune, celle d'utiliser des aimants pour extraire le fer de minerais à faible teneur.

1890-1910

L'Amphicar

Présenté comme « la voiture qui navigue », l'Amphicar était le fruit des efforts du concepteur allemand Hans Trippel. Il réunissait les caractéristiques d'une voiture et d'un bateau mais, à terre, il avait l'air d'un poisson hors de l'eau et ne dépassait pas les 65 km/h. Pas étonnant que l'idée n'ait pas eu de suite !

Nous sommes dans le bain !

L'APT

Ce train de voyageurs avancé (en anglais : APT) était prévu pour se pencher dans les courbes, mais dès le début il rencontra d'importants problèmes, à commencer par le fait qu'il donnait à ses occupants le mal de mer ! Les trains pendulaires actuels ont su résoudre ce problème.

1961

1982

Eh là !

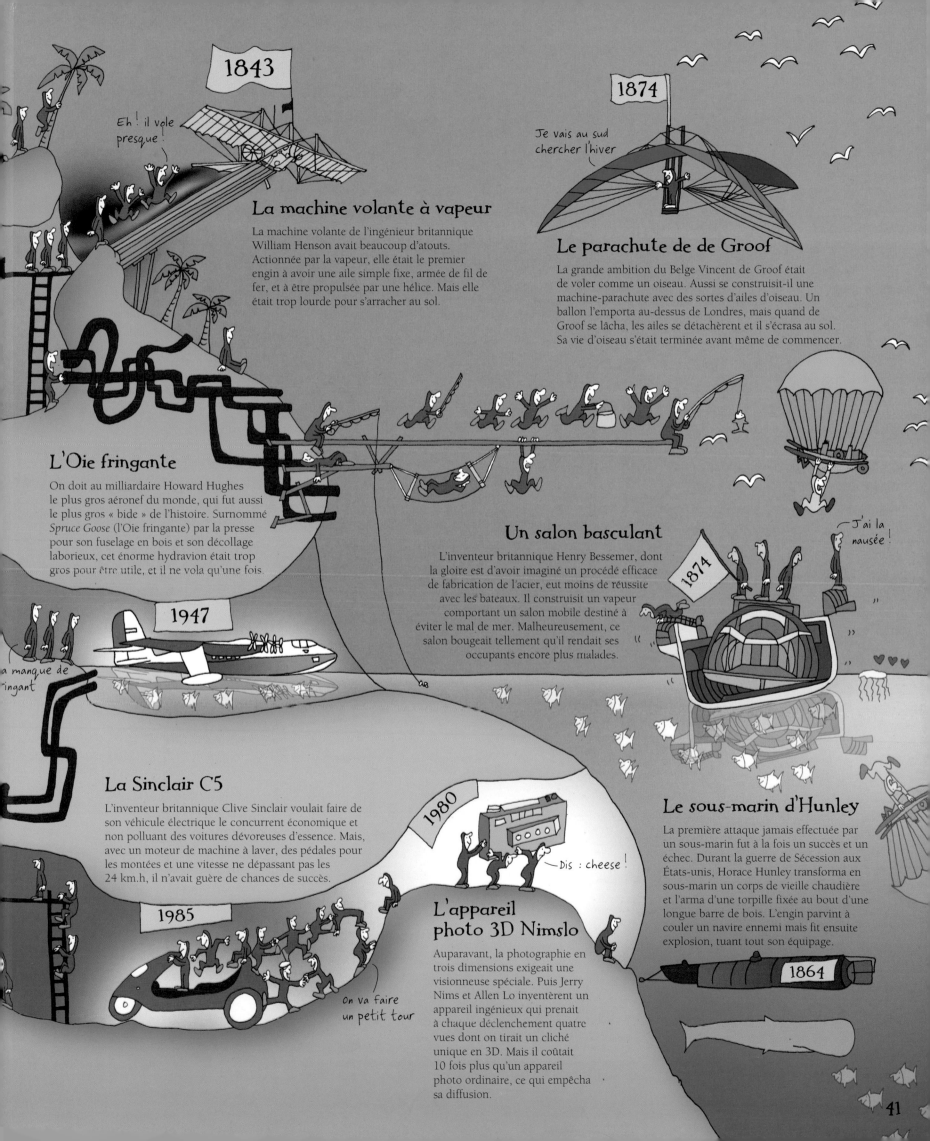

La machine volante à vapeur

La machine volante de l'ingénieur britannique William Henson avait beaucoup d'atouts. Actionnée par la vapeur, elle était le premier engin à avoir une aile simple fixe, armée de fil de fer, et à être propulsée par une hélice. Mais elle était trop lourde pour s'arracher au sol.

Eh ! il vole presque !

1843

Le parachute de de Groof

La grande ambition du Belge Vincent de Groof était de voler comme un oiseau. Aussi se construisit-il une machine-parachute avec des sortes d'ailes d'oiseau. Un ballon l'emporta au-dessus de Londres, mais quand de Groof se lâcha, les ailes se détachèrent et il s'écrasa au sol. Sa vie d'oiseau s'était terminée avant même de commencer.

Je vais au sud chercher l'hiver

1874

L'Oie fringante

On doit au milliardaire Howard Hughes le plus gros aéronef du monde, qui fut aussi le plus gros « bide » de l'histoire. Surnommé *Spruce Goose* (l'Oie fringante) par la presse pour son fuselage en bois et son décollage laborieux, cet énorme hydravion était trop gros pour être utile, et il ne vola qu'une fois.

1947

a manque de ringant

Un salon basculant

L'inventeur britannique Henry Bessemer, dont la gloire est d'avoir imaginé un procédé efficace de fabrication de l'acier, eut moins de réussite avec les bateaux. Il construisit un vapeur comportant un salon mobile destiné à éviter le mal de mer. Malheureusement, ce salon bougeait tellement qu'il rendait ses occupants encore plus malades.

1874

J'ai la nausée !

La Sinclair C5

L'inventeur britannique Clive Sinclair voulait faire de son véhicule électrique le concurrent économique et non polluant des voitures dévoreuses d'essence. Mais, avec un moteur de machine à laver, des pédales pour les montées et une vitesse ne dépassant pas les 24 km.h, il n'avait guère de chances de succès.

1985

On va faire un petit tour

1980

Dis : cheese !

L'appareil photo 3D Nimslo

Auparavant, la photographie en trois dimensions exigeait une visionneuse spéciale. Puis Jerry Nims et Allen Lo inventèrent un appareil ingénieux qui prenait à chaque déclenchement quatre vues dont on tirait un cliché unique en 3D. Mais il coûtait 10 fois plus qu'un appareil photo ordinaire, ce qui empêcha sa diffusion.

Le sous-marin d'Hunley

La première attaque jamais effectuée par un sous-marin fut à la fois un succès et un échec. Durant la guerre de Sécession aux États-unis, Horace Hunley transforma en sous-marin un corps de vieille chaudière et l'arma d'une torpille fixée au bout d'une longue barre de bois. L'engin parvint à couler un navire ennemi mais fit ensuite explosion, tuant tout son équipage.

1864

Sa majesté l'ordinateur

Les machines à calculer mécaniques existent depuis plus de 350 ans. Mais, suite à l'invention de la lampe triode au début du 20ᵉ siècle apparut le calculateur électronique ou ordinateur. La grande différence entre la machine à calculer et l'ordinateur est que ce dernier est programmable : il possède une mémoire dans laquelle il peut stocker des instructions. Les premiers ordinateurs à lampes remplissaient des pièces entières. Puis, en 1947, trois savants inventèrent un tout petit dispositif qui allait bouleverser nos vies : le transistor.

John Bardeen

William Shockley

Walter Brattain

Les physiciens américains John Bardeen, Walter Brattain et William Shockley obtinrent un prix Nobel pour l'invention du transistor.

Fantastique !

Renversant !

Le transistor

En cherchant à améliorer le fonctionnement du téléphone, une équipe de scientifiques des laboratoires Bell, aux États-Unis, inventa le transistor. Celui-ci peut amplifier le courant électrique de la même façon qu'une valve triode, mais il est beaucoup plus petit et bien meilleur marché. Son utilisation dans les ordinateurs a permis de réduire considérablement leur taille et leur prix, et donc d'en multiplier le nombre.

Ces bidules font des petits !

La machine arithmétique de Pascal   La machine à différences de Babbage   Le calculateur binaire   L'ordinateur électronique

1642

Cela s'impose

Le physicien et mathématicien français Blaise Pascal construisit une machine à calculer perfectionnée pour son père, qui était inspecteur des impôts. Munie de roues et d'engrenages, elle effectuait seulement des additions et soustractions.

1834

T'as pas vu mon perforateur ?

La « machine à différences » de Charles Babbage fut le premier calculateur mécanique du monde. Actionnée par la vapeur et programmée à l'aide de cartes perforées, elle aurait eu une taille énorme. Seule une petite partie en fut réalisée.

1940

1100100 110010 ?

0101011 01101110 !

1001

Les mathématiciens américains John Atanasoff et Clifford Berry ont tenté de construire le premier calculateur électronique à base binaire. Ils n'ont pu le terminer, mais le système binaire a été adopté pour tous les ordinateurs.

1944

Qu'est-ce que c'est ?

Un secret !

Durant la Seconde Guerre mondiale, l'ingénieur britannique Thomas Flowers a réalisé le premier ordinateur électronique pour déchiffrer les codes ennemis. Son secret était si bien gardé que pendant 50 ans presque personne n'en connut l'existence.

Des ordinateurs pour la maison

Un système informatique moderne pour la maison comprend de nombreux dispositifs intérieurs et extérieurs reliés ensemble par fils. Certains d'entre eux, tels le clavier, le lecteur de CD ROM et le micro, servent à introduire les informations dans l'ordinateur. D'autres, comme le microprocesseur, la carte graphique et la mémoire RAM, servent à traiter ou à stocker ces informations. L'écran et l'imprimante sont des unités de sortie, qui présentent les résultats du travail de l'ordinateur.

ROM, ou mémoire morte
Elle conserve en permanence des données nécessaires au fonctionnement de l'ordinateur.

RAM, ou mémoire vive
Elle conserve temporairement les données. Celles-ci doivent être sauvegardées, autrement elles disparaissent quand l'ordinateur s'éteint.

Clavier
Il introduit les données dans l'ordinateur.

Carte graphique
Elle convertit les données numériques en signaux visuels pour afficher des images.

Disque dur
Il conserve sous forme magnétique des quantités considérables de données et de programmes. Son contenu est en sécurité, ce qui n'empêche pas de l'effacer et de le remplacer facilement.

Souris
Elle commande la position du curseur (en général, une flèche) sur l'écran.

Circuit imprimé
Il fait la jonction entre tous les organes internes de l'ordinateur.

Le moniteur
affiche à l'écran les résultats du travail de l'ordinateur

Microprocesseur
Une « puce » ultraperformante qui constitue le cœur de l'ordinateur.

Carte son
Elle convertit les données numériques en signaux sonores envoyés vers les haut-parleurs.

Lecteur de CD ROM
Il « lit » les données notées sur CD, et s'il fait aussi graveur, il peut en enregistrer.

Imprimante
Elle permet de sortir sur papier les résultats des opérations.

Modem
Il convertit les données numériques en signaux sonores et vice-versa, pour transmission des e-mails et documents Internet sur une ligne téléphonique.

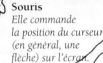

Le binaire en action

Les ordinateurs utilisent un système de codes dits binaires, qui représentent les informations sous forme de séquences de 0 et de 1. Le transistor joue le rôle d'une valve : le 0 correspond à la position « fermé », et le 1 à la position « ouvert ». Le schéma montre comment on peut coder les lettres A, B et C : les lampes allumées figurent le « 1 ».

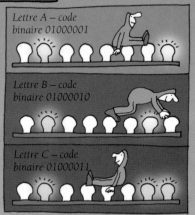

Lettre A – code binaire 01000001

Lettre B – code binaire 01000010

Lettre C – code binaire 01000011

La puissance d'une puce

— Si on y collait un peu d'insecticide ?

Une puce contient des milliers de composants

Les broches permettent de brancher la puce sur un circuit imprimé

En 1958, les électroniciens Jack Kilby et Robert Noyce parvinrent, chacun de leur côté, à miniaturiser transistors et autres dispositifs sous la forme de minces pastilles – les puces – de silicium ou autres matières. Plus petite qu'une pièce de 1 centime, une puce est capable d'effectuer une énorme quantité d'opérations. Ce sont les puces qui ont permis à l'ordinateur de devenir de plus en plus petit.

Un vrai monstre | **L'ordinateur programmable** | **Les superordinateurs** | **Les ordinateurs personnels**

1945
— C'est le modèle compact !

Le premier ordinateur électronique « connu » fut l'ENIAC, construit par des scientifiques américains pour effectuer les calculs des militaires. Utilisant plus de 18 000 lampes, il pesait le poids de six éléphants et remplissait toute une salle.

1949
Maintenant, faites comme on vous dit !

Les premières machines n'étaient pas de vrais ordinateurs, car elles n'étaient pas programmables (capables de stocker des instructions). La première à l'être fut la britannique EDSAC, suivie de près par les américaines BINAC et UNIVAC.

1976
Ça, c'est du sérieux
Super !

Les mathématiques de haut niveau requièrent de puissants ordinateurs. Le Cray-1 fut le premier d'une série de superordinateurs conçus par l'ingénieur américain Cray pour réaliser 240 millions d'opérations par seconde et plus.

1978
Fantastique ! Qu'est-ce que c'est ?
Un truc qui ne prendra jamais !

Les petits ordinateurs de bureau ne purent voir le jour que grâce à l'invention du microprocesseur. Le premier à bien fonctionner fut Apple II, conçu par les techniciens américains Steve Jobs et Steve Wozniak.

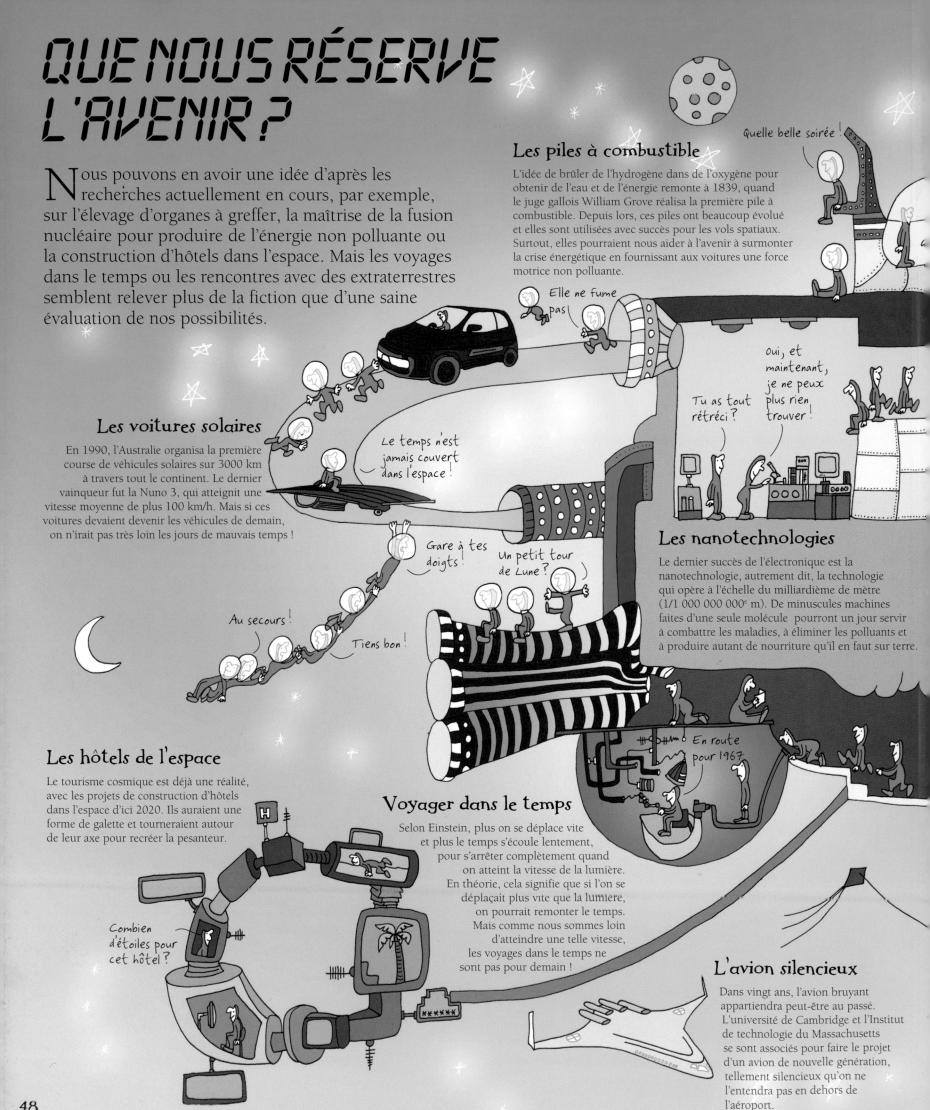

QUE NOUS RÉSERVE L'AVENIR ?

Nous pouvons en avoir une idée d'après les recherches actuellement en cours, par exemple, sur l'élevage d'organes à greffer, la maîtrise de la fusion nucléaire pour produire de l'énergie non polluante ou la construction d'hôtels dans l'espace. Mais les voyages dans le temps ou les rencontres avec des extraterrestres semblent relever plus de la fiction que d'une saine évaluation de nos possibilités.

Les piles à combustible

L'idée de brûler de l'hydrogène dans de l'oxygène pour obtenir de l'eau et de l'énergie remonte à 1839, quand le juge gallois William Grove réalisa la première pile à combustible. Depuis lors, ces piles ont beaucoup évolué et elles sont utilisées avec succès pour les vols spatiaux. Surtout, elles pourraient nous aider à l'avenir à surmonter la crise énergétique en fournissant aux voitures une force motrice non polluante.

Les voitures solaires

En 1990, l'Australie organisa la première course de véhicules solaires sur 3000 km à travers tout le continent. Le dernier vainqueur fut la Nuno 3, qui atteignit une vitesse moyenne de plus 100 km/h. Mais si ces voitures devaient devenir les véhicules de demain, on n'irait pas très loin les jours de mauvais temps !

Les nanotechnologies

Le dernier succès de l'électronique est la nanotechnologie, autrement dit, la technologie qui opère à l'échelle du milliardième de mètre (1/1 000 000 000e m). De minuscules machines faites d'une seule molécule pourront un jour servir à combattre les maladies, à éliminer les polluants et à produire autant de nourriture qu'il en faut sur terre.

Les hôtels de l'espace

Le tourisme cosmique est déjà une réalité, avec les projets de construction d'hôtels dans l'espace d'ici 2020. Ils auraient une forme de galette et tourneraient autour de leur axe pour recréer la pesanteur.

Voyager dans le temps

Selon Einstein, plus on se déplace vite et plus le temps s'écoule lentement, pour s'arrêter complètement quand on atteint la vitesse de la lumière. En théorie, cela signifie que si l'on se déplaçait plus vite que la lumière, on pourrait remonter le temps. Mais comme nous sommes loin d'atteindre une telle vitesse, les voyages dans le temps ne sont pas pour demain !

L'avion silencieux

Dans vingt ans, l'avion bruyant appartiendra peut-être au passé. L'université de Cambridge et l'Institut de technologie du Massachusetts se sont associés pour faire le projet d'un avion de nouvelle génération, tellement silencieux qu'on ne l'entendra pas en dehors de l'aéroport.

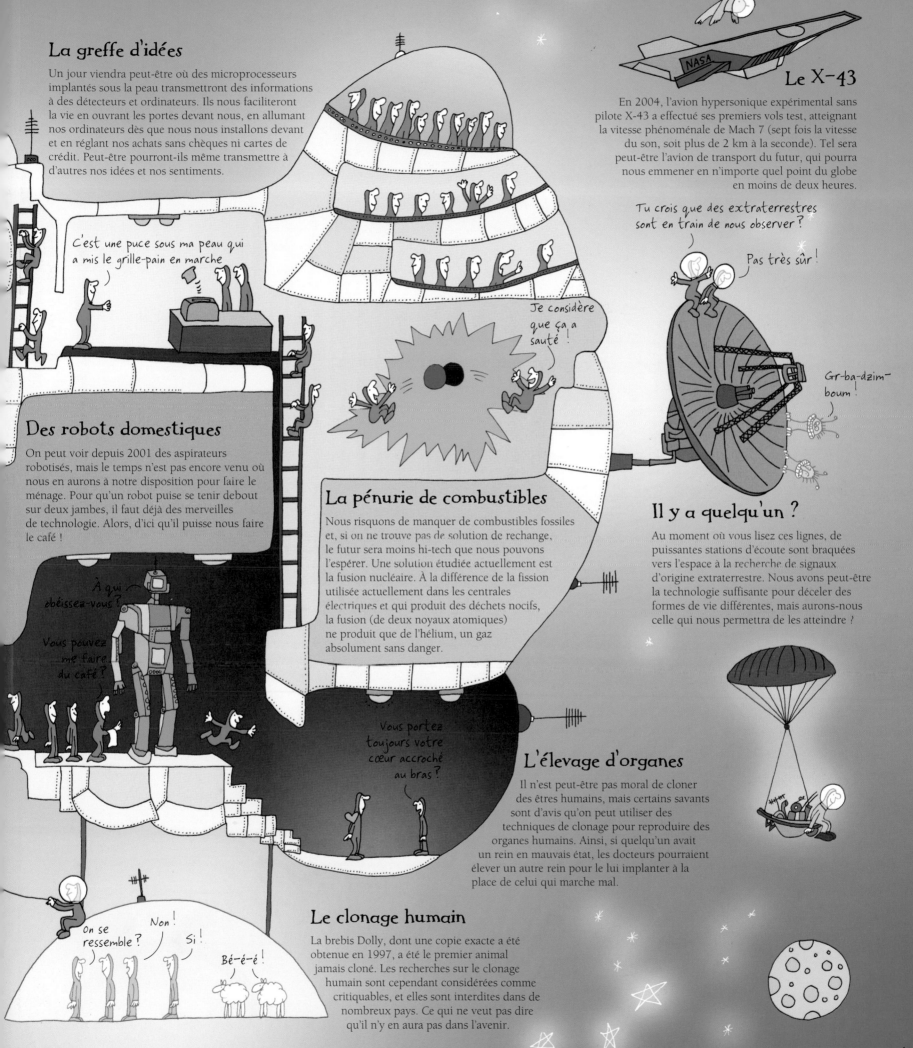

La greffe d'idées

Un jour viendra peut-être où des microprocesseurs implantés sous la peau transmettront des informations à des détecteurs et ordinateurs. Ils nous faciliteront la vie en ouvrant les portes devant nous, en allumant nos ordinateurs dès que nous nous installons devant et en réglant nos achats sans chèques ni cartes de crédit. Peut-être pourront-ils même transmettre à d'autres nos idées et nos sentiments.

Des robots domestiques

On peut voir depuis 2001 des aspirateurs robotisés, mais le temps n'est pas encore venu où nous en aurons à notre disposition pour faire le ménage. Pour qu'un robot puise se tenir debout sur deux jambes, il faut déjà des merveilles de technologie. Alors, d'ici qu'il puisse nous faire le café !

La pénurie de combustibles

Nous risquons de manquer de combustibles fossiles et, si on ne trouve pas de solution de rechange, le futur sera moins hi-tech que nous pouvons l'espérer. Une solution étudiée actuellement est la fusion nucléaire. À la différence de la fission utilisée actuellement dans les centrales électriques et qui produit des déchets nocifs, la fusion (de deux noyaux atomiques) ne produit que de l'hélium, un gaz absolument sans danger.

Le clonage humain

La brebis Dolly, dont une copie exacte a été obtenue en 1997, a été le premier animal jamais cloné. Les recherches sur le clonage humain sont cependant considérées comme critiquables, et elles sont interdites dans de nombreux pays. Ce qui ne veut pas dire qu'il n'y en aura pas dans l'avenir.

Le X-43

En 2004, l'avion hypersonique expérimental sans pilote X-43 a effectué ses premiers vols test, atteignant la vitesse phénoménale de Mach 7 (sept fois la vitesse du son, soit plus de 2 km à la seconde). Tel sera peut-être l'avion de transport du futur, qui pourra nous emmener en n'importe quel point du globe en moins de deux heures.

Il y a quelqu'un ?

Au moment où vous lisez ces lignes, de puissantes stations d'écoute sont braquées vers l'espace à la recherche de signaux d'origine extraterrestre. Nous avons peut-être la technologie suffisante pour déceler des formes de vie différentes, mais aurons-nous celle qui nous permettra de les atteindre ?

L'élevage d'organes

Il n'est peut-être pas moral de cloner des êtres humains, mais certains savants sont d'avis qu'on peut utiliser des techniques de clonage pour reproduire des organes humains. Ainsi, si quelqu'un avait un rein en mauvais état, les docteurs pourraient élever un autre rein pour le lui implanter à la place de celui qui marche mal.

49

DE LA POUDRE POUR LA GUERRE

La guerre et les armes existent depuis l'âge de pierre, quand les hommes commencèrent à se disputer la terre et la nourriture. À l'époque romaine, les armes les plus perfectionnées – les arbalètes et les catapultes – utilisaient la détente d'une corde tendue pour propulser des projectiles vers l'ennemi. Puis les Chinois inventèrent la poudre à canon, mais il fallut attendre près de 400 ans pour qu'elle fasse son apparition sur des champs de bataille.

La poudre à canon

Vers l'an 900 de notre ère, les Chinois découvrirent qu'un mélange de salpêtre (ou nitrate de potassium), de charbon de bois et de soufre avait un pouvoir détonant. Ils l'utilisèrent au début pour des divertissements ou pour effrayer l'ennemi, et ce n'est que plus tard qu'ils eurent l'idée des fusées et des canons de bambou. Au 14e siècle, les Européens apprirent la recette et employèrent la poudre pour produire des effets dévastateurs.

Je sais voler !

On se tire !

Ouah !

Tu vois quelque chose ?

Hmmm-m !

Le feu des canons

Personne ne sait qui, des Chinois, des Arabes ou des Indiens, a le premier découvert qu'une charge de poudre tassée à l'extrémité fermée d'un tube pouvait exploser avec une force suffisante pour lancer un projectile. Ce qui est sûr, c'est que vers 1320 les Anglais utilisèrent déjà des canons rudimentaires à la guerre. Et qu'au milieu du 15e siècle avaient déjà fait leur apparition d'énormes pièces de siège capables de projeter des boulets de fer atteignant jusqu'à 680 kg.

Stand de tir

Ça ne marche pas quand il pleut !

v. 1350

v. 1450

v. 1530

17e siècle

1814

Raté

Le canon à main

Peu après l'invention du canon vint celle des armes plus légères, mises à feu en appliquant une braise ou un fil brûlant sur un orifice latéral du tube, ce qui faisait exploser la charge et sortir le projectile.

L'arquebuse à mèche

En 1450, le mécanisme de mise à feu s'était déjà amélioré. Sur l'arquebuse à mèche, en appuyant sur la détente, on amenait une mèche au contact de la poudre.

L'arquebuse à rouet

Pour cette arme on n'avait plus besoin d'une mèche enflammée. Une petite roue à dents, appelée rouet, mise en mouvement par la détente, produisait une étincelle qui enflammait la poudre.

Le fusil à pierre

Apparu sans doute en France au début du 17e, plus simple, moins cher et plus fiable que ses prédécesseurs, il resta en service plus de 200 ans. Mais il ne pouvait tirer que trois coups par minute.

Le fusil à percussion

Le coup était provoqué par une amorce, qui fut bientôt intégrée à la cartouche contenant la balle et la charge de poudre. À la différence des armes précédentes, elle se chargeait par la culasse.

50

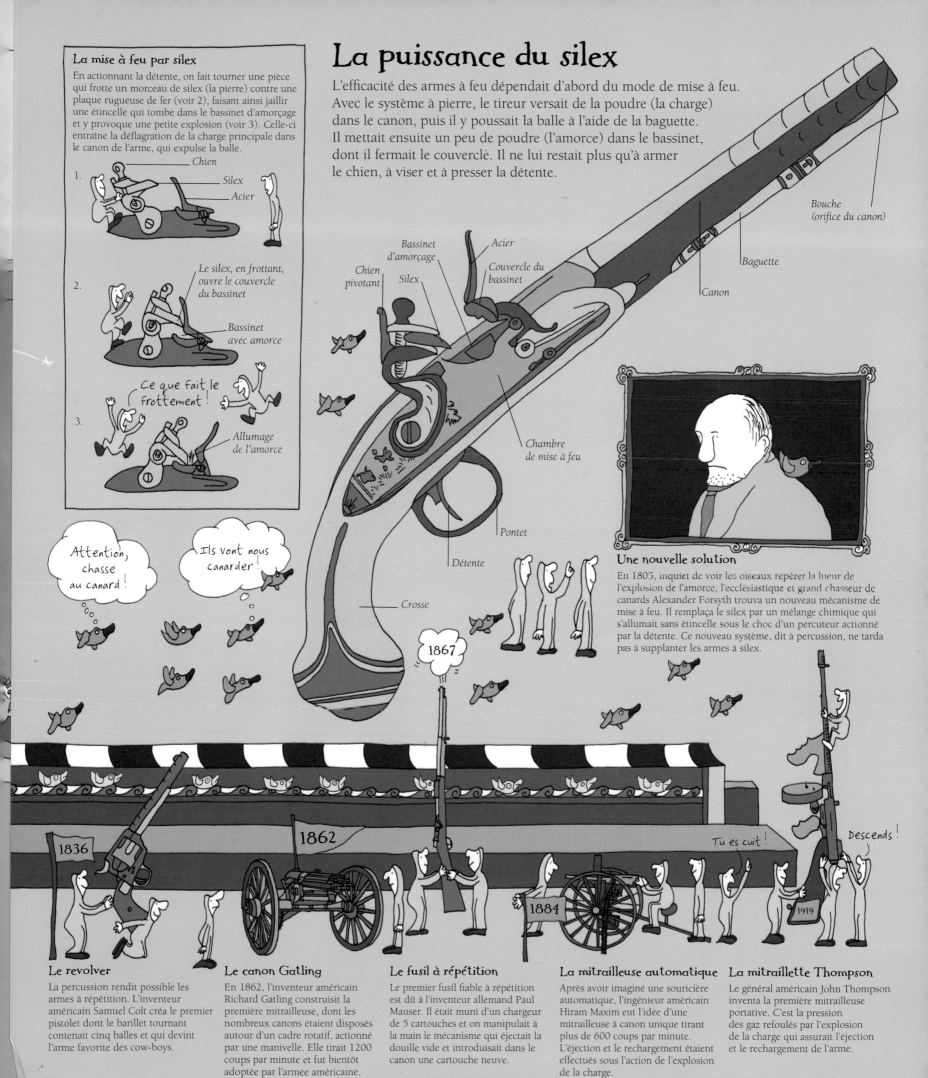

La puissance du silex

L'efficacité des armes à feu dépendait d'abord du mode de mise à feu. Avec le système à pierre, le tireur versait de la poudre (la charge) dans le canon, puis il y poussait la balle à l'aide de la baguette. Il mettait ensuite un peu de poudre (l'amorce) dans le bassinet, dont il fermait le couvercle. Il ne lui restait plus qu'à armer le chien, à viser et à presser la détente.

La mise à feu par silex

En actionnant la détente, on fait tourner une pièce qui frotte un morceau de silex (la pierre) contre une plaque rugueuse de fer (voir 2), faisant ainsi jaillir une étincelle qui tombe dans le bassinet d'amorçage et y provoque une petite explosion (voir 3). Celle-ci entraîne la déflagration de la charge principale dans le canon de l'arme, qui expulse la balle.

1.
Chien
Silex
Acier

2.
Le silex, en frottant, ouvre le couvercle du bassinet
Bassinet avec amorce

Ce que fait le frottement !

3.
Allumage de l'amorce

Bassinet d'amorçage
Acier
Couvercle du bassinet
Chien pivotant
Silex

Bouche (orifice du canon)
Baguette
Canon

Chambre de mise à feu

Pontet
Détente
Crosse

Attention, chasse au canard !

Ils vont nous canarder !

1867

Une nouvelle solution

En 1805, inquiet de voir les oiseaux repérer la lueur de l'explosion de l'amorce, l'ecclésiastique et grand chasseur de canards Alexander Forsyth trouva un nouveau mécanisme de mise à feu. Il remplaça le silex par un mélange chimique qui s'allumait sans étincelle sous le choc d'un percuteur actionné par la détente. Ce nouveau système, dit à percussion, ne tarda pas à supplanter les armes à silex.

1836

1862

1884

Tu es cuit !

Descends !

1919

Le revolver

La percussion rendit possible les armes à répétition. L'inventeur américain Samuel Colt créa le premier pistolet dont le barillet tournant contenait cinq balles et qui devint l'arme favorite des cow-boys.

Le canon Gatling

En 1862, l'inventeur américain Richard Gatling construisit la première mitrailleuse, dont les nombreux canons étaient disposés autour d'un cadre rotatif, actionné par une manivelle. Elle tirait 1200 coups par minute et fut bientôt adoptée par l'armée américaine.

Le fusil à répétition

Le premier fusil fiable à répétition est dû à l'inventeur allemand Paul Mauser. Il était muni d'un chargeur de 5 cartouches et on manipulait à la main le mécanisme qui éjectait la douille vide et introduisait dans le canon une cartouche neuve.

La mitrailleuse automatique

Après avoir imaginé une souricière automatique, l'ingénieur américain Hiram Maxim eut l'idée d'une mitrailleuse à canon unique tirant plus de 600 coups par minute. L'éjection et le rechargement étaient effectués sous l'action de l'explosion de la charge.

La mitraillette Thompson

Le général américain John Thompson inventa la première mitrailleuse portative. C'est la pression des gaz refoulés par l'explosion de la charge qui assurait l'éjection et le rechargement de l'arme.

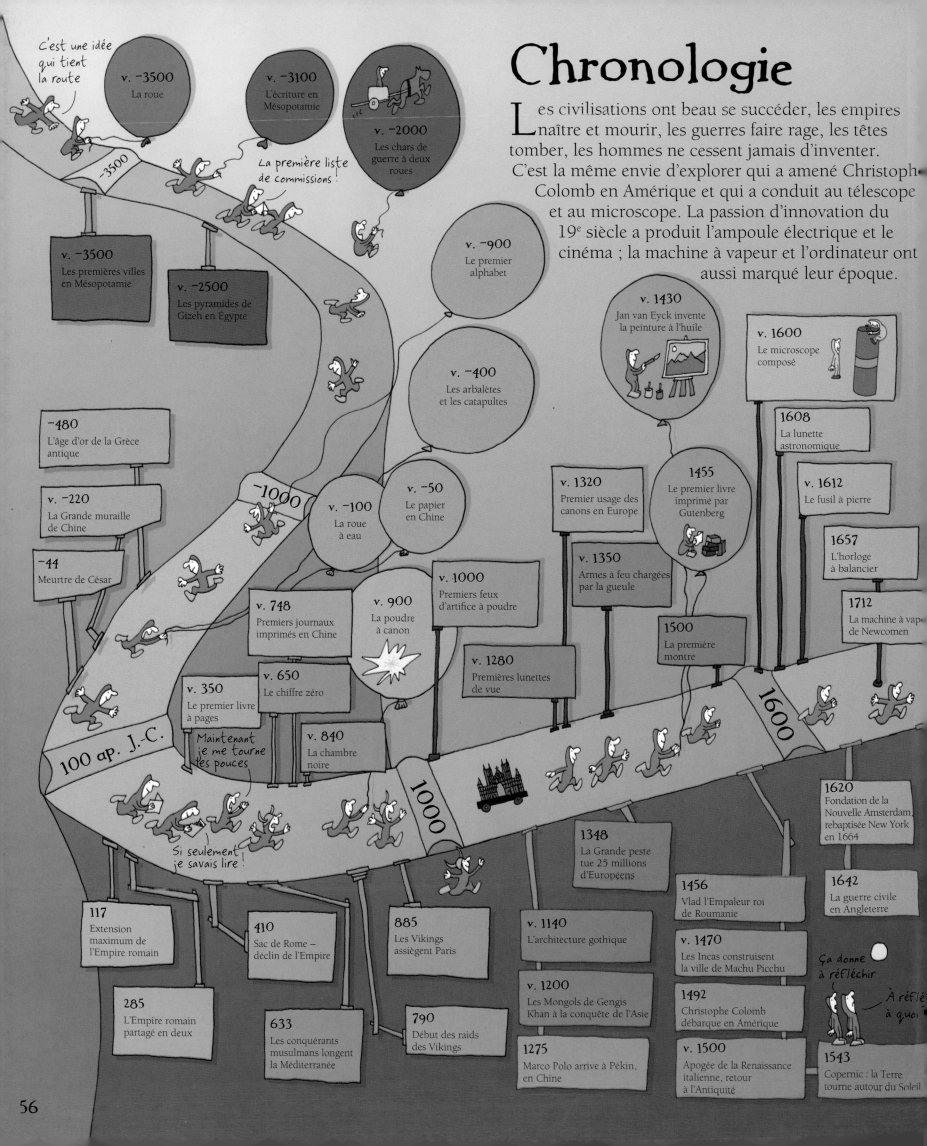

Chronologie

Les civilisations ont beau se succéder, les empires naître et mourir, les guerres faire rage, les têtes tomber, les hommes ne cessent jamais d'inventer. C'est la même envie d'explorer qui a amené Christophe Colomb en Amérique et qui a conduit au télescope et au microscope. La passion d'innovation du 19e siècle a produit l'ampoule électrique et le cinéma ; la machine à vapeur et l'ordinateur ont aussi marqué leur époque.

C'est une idée qui tient la route

v. -3500
La roue

v. -3100
L'écriture en Mésopotamie

v. -2000
Les chars de guerre à deux roues

La première liste de commissions !

v. -900
Le premier alphabet

v. 1430
Jan van Eyck invente la peinture à l'huile

v. 1600
Le microscope composé

-3500

v. -3500
Les premières villes en Mésopotamie

v. -2500
Les pyramides de Gizeh en Égypte

v. -400
Les arbalètes et les catapultes

1608
La lunette astronomique

-480
L'âge d'or de la Grèce antique

-1000

v. -100
La roue à eau

v. -50
Le papier en Chine

v. 1320
Premier usage des canons en Europe

1455
Le premier livre imprimé par Gutenberg

v. 1612
Le fusil à pierre

v. -220
La Grande muraille de Chine

v. 1350
Armes à feu chargées par la gueule

1657
L'horloge à balancier

-44
Meurtre de César

v. 748
Premiers journaux imprimés en Chine

v. 900
La poudre à canon

v. 1000
Premiers feux d'artifice à poudre

1500
La première montre

1712
La machine à vap de Newcomen

v. 350
Le premier livre à pages

v. 650
Le chiffre zéro

v. 1280
Premières lunettes de vue

100 ap. J.-C.

Maintenant je me tourne les pouces

v. 840
La chambre noire

1600

1620
Fondation de la Nouvelle Amsterdam, rebaptisée New York en 1664

Si seulement je savais lire !

1000

1348
La Grande peste tue 25 millions d'Européens

1456
Vlad l'Empaleur roi de Roumanie

1642
La guerre civile en Angleterre

117
Extension maximum de l'Empire romain

410
Sac de Rome – déclin de l'Empire

885
Les Vikings assiègent Paris

v. 1140
L'architecture gothique

v. 1470
Les Incas construisent la ville de Machu Picchu

Ça donne à réfléchir

À réflé à quoi

285
L'Empire romain partagé en deux

633
Les conquérants musulmans longent la Méditerranée

790
Début des raids des Vikings

v. 1200
Les Mongols de Gengis Khan à la conquête de l'Asie

1492
Christophe Colomb débarque en Amérique

1275
Marco Polo arrive à Pékin, en Chine

v. 1500
Apogée de la Renaissance italienne, retour à l'Antiquité

1543
Copernic : la Terre tourne autour du Soleil

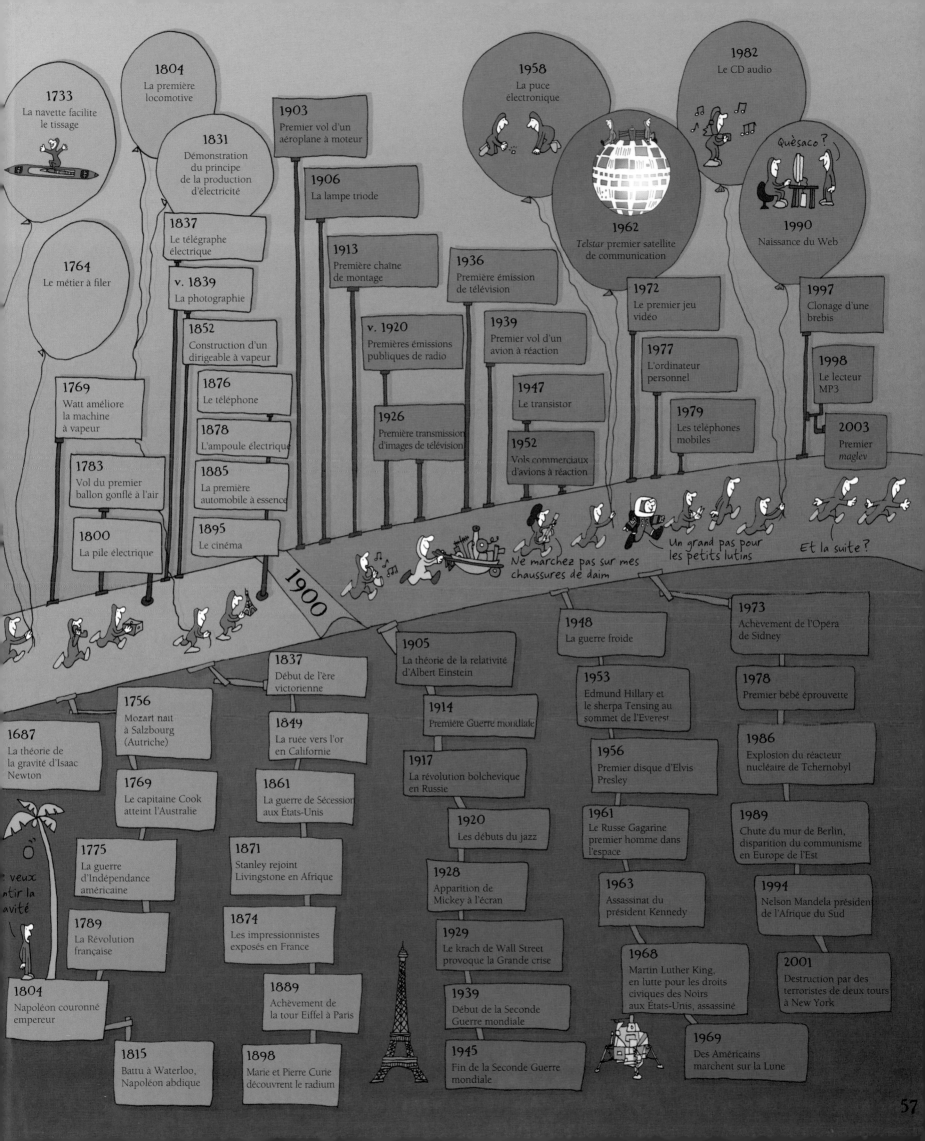

LEXIQUE

3D
Abréviation de « en trois dimensions ». Une image 3D a une profondeur et un volume, à la différence des images plates en deux dimensions.

Aérodynamique
Étude des interactions entre un corps solide et l'air. Elle permet aux ingénieurs de donner aux bâtiments, aux avions, aux véhicules la forme qui leur assurera la meilleure sécurité et les meilleures performances.

Aérostat
Appareil volant plus léger que l'air, dépourvu de moteur et de gouvernail, et qu'on ne peut donc diriger à sa guise.

Année-lumière
Distance parcourue par la lumière en une année, à la vitesse de 300 000 km à la seconde.

Arbre
Tige ronde très résistante qui relie deux mécanismes et sert à transmettre le mouvement de l'un à l'autre.

Arc électrique
Pour qu'il y ait courant électrique, il faut un circuit fermé. Mais si on met sous une forte tension deux tiges conductrices séparées par une couche d'air, un courant peut traverser cette couche en émettant une puissante lumière. C'est le principe de l'éclair qui brille pendant les orages. Les arcs électriques artificiels sont utilisés dans l'éclairage et le soudage.

Balancier
Tige ou barre qui balance autour d'un axe. Les grandes horloges, les pendules, les coucous marchent grâce à un balancier. Les premières machines à vapeur transmettaient le mouvement grâce à un balancier pivotant autour d'un axe fixé en son milieu.

Balistique
Science qui étudie le mouvement des projectiles. La trajectoire des flèches, des balles, des obus, ainsi que des vaisseaux spatiaux quand ils ne font pas usage de leurs moteurs, est déterminée par la balistique.

Brevet
Protection du droit de l'inventeur à être seul à pouvoir, pendant une période déterminée, utiliser, exploiter ou vendre son invention. Personne d'autre ne peut ainsi tirer profit de son idée. En échange, l'inventeur s'engage à faire connaître tous les détails de son invention, de façon que n'importe qui puisse l'utiliser après l'expiration du brevet.

Chaîne de montage
Moyen rapide de fabriquer des objets, tels que les voitures ou les machines à laver. Il a été lancé par Henry Ford en 1913. Les produits en cours de fabrication se déplacent sur une bande transporteuse, passant successivement devant les ouvriers, dont chacun répète toujours la même opération : accrocher une portière ou fixer un pare-choc.

Code binaire
Système de présentation des informations sous forme de séries de 0 et de 1, qui est utilisé dans les ordinateurs modernes.

Combustibles fossiles
Le charbon, le pétrole, le gaz naturel, qui résultent de la décomposition de matières organiques déposées il y a des millions d'années. La combustion de ces corps dégage des gaz à effet de serre à l'origine du réchauffement climatique (voir ce mot), nuisible pour notre planète.

Commutation de paquets
Système qui permet d'acheminer plusieurs communications ou messages sur une même ligne téléphonique.

Culasse
Partie d'une arme à feu située derrière le canon et dans laquelle on engage l'obus ou la cartouche.

Détecteur à galène
La galène est un cristal qui servait, dans les tout premiers postes de radio, à détecter les signaux. Peu commode à utiliser, il a été supplanté par les lampes.

Dirigeable
Appareil plus léger que l'air qui comprend une enveloppe en forme de cigare contenant plusieurs ballons remplis d'hélium et qui est muni d'ordinaire d'un moteur à essence. À la différence des ballons, qui dérivent au gré des vents, un dirigeable peut maintenir une direction. D'où son nom.

Douille
Tube métallique fermé à une extrémité et qui contient l'amorce et la charge d'une cartouche ou d'un obus.

Dynamo
Machine servant à produire du courant électrique continu, à la différence de l'alternateur, qui fabrique du courant alternatif, beaucoup plus utilisé actuellement.

Éclairage à l'arc
Forme d'éclairage électrique dans lequel une décharge électrique se produisant entre deux tiges de carbones émet une intense lumière.

Écrans plats
Ils sont en train de remplacer les tubes cathodiques pour la fabrication des téléviseurs et des écrans d'ordinateurs. Ils donnent une bien meilleure image, sont beaucoup moins lourds et moins fragiles. Ils utilisent la technologie des cristaux liquides ou du plasma.

Électro-aimant
Aimant formé par une bobine enroulée autour d'un barreau de fer et dans laquelle on fait passer un courant électrique.

Électron
Les atomes qui composent la matière sont formés de plusieurs particules : les protons et neutrons constituent le noyau, autour duquel tournent les électrons. C'est le mouvement des électrons qui crée le courant électrique.

Électronique
Technique d'utilisation de circuits dans lesquels le passage du courant permet de commander le courant dans d'autres circuits. Par exemple, dans un téléviseur, les signaux reçus de l'antenne permettent de faire varier le faisceau du tube cathodique pour créer une image. Le fonctionnement des ordinateurs est basé sur l'électronique.

Engrenages
Système de roues dentées qui s'entraînent l'une l'autre. Il sert à modifier la vitesse ou la direction du mouvement dans les moteurs, les machines et les véhicules.

Fluorescent
Un tube fluorescent est une lampe dans laquelle le rayonnement de la vapeur de mercure fait briller le phosphore qui tapisse les parois de la lampe.

Fusion des métaux
Procédé qui permet d'extraire les métaux en chauffant à haute température les minerais qui les contiennent.

Gaz à effet de serre
On trouve parmi eux le méthane, le dioxyde de carbone, la vapeur d'eau. Ils créent autour de la Terre une enveloppe qui piège la chaleur du Soleil. L'effet de serre est un phénomène naturel utile, car il maintient la Terre au chaud, mais l'excès de ces gaz peut faire monter dangereusement la température de notre planète.

Hologramme
Image qui change selon l'angle sous lequel on la regarde et qui permet de créer une impression de relief.

Hydravion
Avion qui peut décoller et se poser sur l'eau.

Hypersonique
Une vitesse hypersonique est une vitesse au moins cinq fois supérieure à la vitesse du son (1240 km/h à 20°C).

Lampe
Il y a les lampes qui servent à éclairer, mais on appelle également « lampes » les valves qui, en électronique, permettent de réguler le passage du courant électrique.

Logiciel

Ensemble d'instructions stockées dans la mémoire d'un ordinateur et qui lui dit quelles opérations effectuer. Chaque logiciel est prévu pour un emploi précis : traitement de texte, création d'images, retouche de photos, etc.

Matière noire

Les savants ont découvert que la force d'attraction des corps que nous observons ne permet pas d'expliquer tous les mouvements des étoiles et des galaxies de l'Univers. D'où l'idée qu'il existe des quantités de matière inconnue que nos appareils ne peuvent détecter.

Microprocesseur

Cerveau de l'ordinateur. Il combine en une seule unité les fonctions de plusieurs puces et peut ainsi effectuer plusieurs milliards d'opérations par seconde. Une puce ordinaire de microprocesseur peut réunir environ 50 millions de transistors. Ceux-ci sont si petits que, si l'on voulait les agrandir de telle façon que les plus petits détails mesurent 0,1 mm, l'ensemble de la puce prendrait la taille d'un immeuble de cinq étages.

Miniaturisation

Réduction de la taille des appareils. C'est la création de composants électroniques minuscules qui a permis la naissance des ordinateurs personnels, des téléphones mobiles, des MP3 et de bien d'autres appareils.

Monoplan

Avion possédant une seule paire d'ailes.

Navette

Dispositif automatique inventé au 18e siècle pour accélérer le travail de tissage. Mue par des poids jouant le rôle de marteaux, la navette se glissait entre les fils de chaîne (verticaux) à grande vitesse, entraînant à sa suite le fil de trame. Grâce à la navette, il suffisait d'un seul tisseur pour faire marcher un métier à tisser.

Numérisation

Transformation d'un signal visuel ou sonore en une série de 0 et de 1 qui peut être lue et traitée par les microprocesseurs et les ordinateurs.

Ondes radio

Rayonnement du même genre que la lumière visible ou les rayons X. Peut être modulé pour transmettre des informations visuelles ou sonores aux récepteurs de télévision et de radio. Dans la télégraphie sans fil, ces ondes servaient à envoyer des messages codés.

Pollution

Dégagement de matières nocives pour l'homme et pour la nature. Beaucoup d'activités humaines entraînent de la pollution. Le réchauffement climatique est une forme de pollution.

Prisme

Barre de verre de section triangulaire. Elle sert à décomposer la lumière blanche en plusieurs rayons des différentes couleurs de l'arc-en-ciel.

Puce électronique

Fine plaquette d'un matériau spécial, appelé semi-conducteur (par exemple, du silicium), qui regroupe en miniature tous les composants d'un circuit imprimé : transistors, capacités et résistances. Comme ces composants font partie intégrante de la puce, on appelle aussi celle-ci un circuit intégré.

Rayonnement électromagnétique

Principale forme de transport de l'énergie dans l'Univers. Les ondes radio (qui ont la plus grande longueur d'onde), l'infrarouge, la lumière visible, l'ultraviolet, les rayons X, les rayons gamma (qui ont la plus petite longueur d'onde) sont des ondes électromagnétiques. Plus leur longueur d'onde est courte, et plus ces rayonnements sont puissants.

Réchauffement climatique

Tendance de la Terre à se réchauffer. Elle est la cause de catastrophes naturelles : inondations, sécheresse, ouragan, incendies de forêt et fonte des calottes glaciaires des pôles. De nombreux savants pensent que ce réchauffement est provoqué par la combustion des combustibles fossiles, qui dégagent des gaz à effet de serre.

Révolution industrielle

Cette révolution dans la façon de vivre et de travailler des hommes commença en Grande-Bretagne il y a à peu près 250 ans avant de se répandre dans tout l'Occident. Elle résulta d'une série d'inventions, comme celle du métier à tisser, qui entraîna l'apparition des usines, puis la concentration des ouvriers dans de grandes villes.

Roue à aubes

Roue munie de godets et soumise à l'action d'un flux de liquide ou de gaz. Les roues à eau des moulins ou des navires du 19e siècle, les roues des turbines sont des roues à aubes.

Satellite

Corps qui, comme la Lune, tourne autour de la Terre ou d'une autre planète. Les satellites artificiels sont mis en orbite pour relayer les émissions de radio et de télévision, les données informatiques d'un bout du globe à l'autre.

Signal radio

Onde radio qui porte des informations visuelles, sonores ou autres. Les récepteurs captent les signaux grâce à une antenne et restituent les images et sons d'origine.

Silex

Pierre très dure avec laquelle les premiers hommes confectionnaient leurs outils. Le choc d'un silex contre un autre corps dur produit des étincelles.

Supernova

Explosion d'étoile, qui dégage une énergie considérable et projette dans l'espace des quantités de gaz et de poussières.

Supersonique

Une vitesse supersonique est supérieure à la vitesse du son (1240 km/h à 20°C).

Superstructure d'un navire

Partie d'un navire qui s'élève au-dessus du pont principal et depuis laquelle on commande les mouvements du navire.

Synchronisation

Coordination dans le temps. Deux événements synchronisés se déroulent exactement au même moment.

Trou noir

Masse de matière invisible. À la fin de leur vie les très grosses étoiles se ratatinent, donnant des boules de matière très dense, dont la force d'attraction est telle qu'elle ne laisse même pas s'échapper la lumière.

Tungstène

Métal couramment utilisé pour les filaments des ampoules électriques. Il brille longtemps sans fondre ni se consumer.

Valve

Appareil qui laisse passer dans un seul sens un flux de liquide, de gaz, ou un courant électrique. Les valves électroniques sont souvent appelées des lampes (diodes ou triodes). Les transistors, dans l'électronique moderne, jouent le rôle de valves.

Vilebrequin

Dans un moteur, c'est un arbre plusieurs fois coudé, qui transforme le mouvement alternatif des pistons en mouvement rotatif transmis aux roues.

Volant moteur

Grosse roue assez lourde régularisant la vitesse de rotation d'un moteur et évitant les à-coups.

INDEX

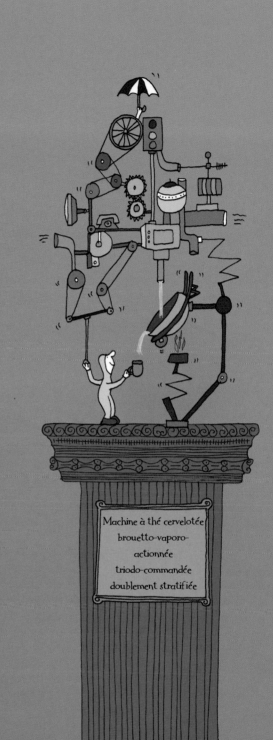

Machine à thé cervelotée brouetto-vaporo-actionnée triodo-commandée doublement stratifiée

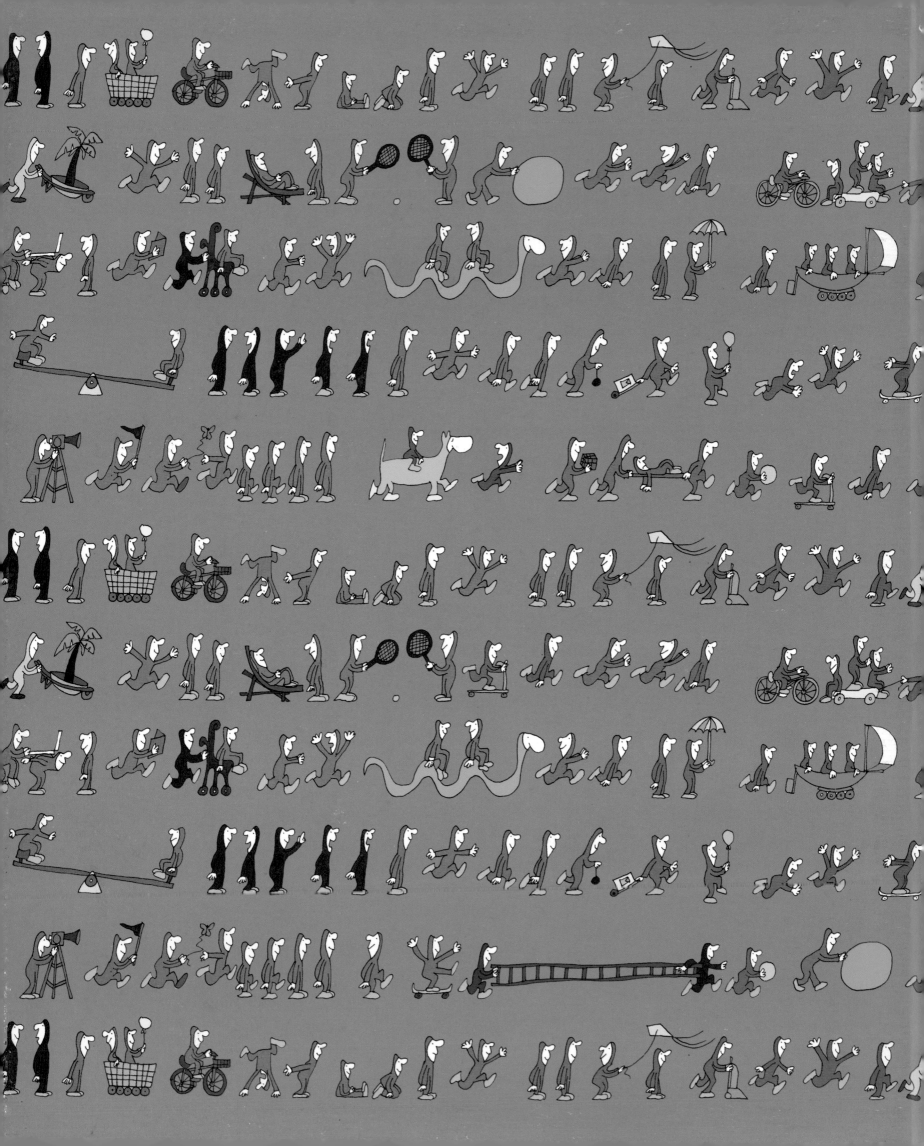